Y0-BSE-463

MÉXICO NEGRO Y QUERIDO

MÉXICO NEGRO Y QUERIDO

Paco Ignacio Taibo II
(editor)

Eugenio Aguirre, Óscar de la Borbolla, Rolo Diez,
Bernardo Fernández *Bef*, Víctor Luis González,
F. G. Haghenbeck, Juan Hernández Luna, Myriam Laurini,
Eduardo Monteverde, Eduardo Antonio Parra,
Julia Rodríguez, Paco Ignacio Taibo II

PLAZA PJ JANÉS

México negro y querido

Primera edición: junio, 2011

Publicado bajo acuerdo con Akashic Books

www.rhmx.com.mx

Comentarios sobre la edición y el contenido de este libro a:
megustaleer@rhmx.com.mx

ISBN 978-607-310-507-1

Impreso en México / *Printed in Mexico*

Índice

INTRODUCCIÓN

MÉXICO, D. F. / SOMBRAS NEGRAS

por *Paco Ignacio Taibo II*

I

Veintiún millones de habitantes. Una ciudad infinita, que en las noches se vuelve un tapete de luces fascinante para los que la pueden ver desde el avión: una especie de árbol de Navidad acostado e inmenso, rojo verde amarillo blanco, el mercurio, el tungsteno, el sodio, el neón. Una ciudad enloquecida por la contaminación, las lluvias, el tráfico, una crisis económica que la golpea desde hace veinticinco años. La ciudad más grande del mundo.

Una ciudad que ha construido una notable fama internacional por las razones más extrañas: ser la selva urbana contrapunto de la selva chiapaneca, tener la más variada colección de chistes sobre la muerte, poseer el récord mundial de manifestaciones políticas por año, poseer dos volcanes invisibles y tener la policía más corrupta del mundo.

De México se dice, más en serio que en broma, que aquí los agentes de la ley locales martirizaron a policías torturadores argentinos, que le cobraron mordida a policías corruptos tailandeses, que enseñaron a snifar coca a traficantes colombianos... Los rumores van kilómetros atrás de la realidad. Una tímida Blancanieves dicta al doctor Frankenstein la crónica de sucesos policiacos.

Para ordenar la memoria recordemos: hace algunos años el jefe de la policía metropolitana, el general Durazo, era el encargado de perseguir a los asesinos de una banda de narcotraficantes sudamericanos, que aparecieron masacrados en un colector de aguas negras de la red cloacal de la ciudad. El caso levantó oleadas de tinta de imprenta, la policía señaló que los asesinados podrían haberlo sido en un ajuste de cuentas de guerrilleros centroamericanos. Un par de años más tarde el escándalo se reprodujo y el general Durazo fue juzgado. Entre otros crímenes, se le acusaba de haber mandado asesinar a los narcos colombianos por razones de rivalidad. El asesino, en la magia alquímica de la locura mexicana, era su propio perseguidor legal. Su segundo de a bordo, el jefe de la Policía Judicial, Sahagún Baca, estaba a cargo de perseguir el tráfico de drogas, siendo uno de los más importantes traficantes del país. La paradoja: la puerta del cielo en manos de Lucifer. El mal parece endémico. Todos los años despiden a centenares de agentes de policía, hay intentos de democratizar la ciudad, de México, pero el cáncer se reproduce. La estructura del poder autoritario en México no puede prescindir de la policía, por muy corrupta que esté. Ahora, en nombre de la modernidad, les molesta. No saben qué hacer con ella. Cuando se disolvió la Dirección de Investigaciones Previas, hace unos veinte años, una oleada de asaltos a mano armada y atracos bancarios arrasó el Valle de México. En tan sólo seis meses, sesenta y un asaltos a mano armada. Los ex policías hacían suya una parte de la ciudad. Era una pequeña transición. En su ejercicio normal de agentes de la legalidad habían extorsionado, abusado, robado, violado. De vez en cuando perseguían a un ladrón ajeno al aparato. En su condición de ex policías seguían haciendo lo mismo, quizá estirando los viejos límites un poco más allá.

Si tienes suerte puedes permanecer distante, tocado solamente por historias paralelas, anécdotas de conocidos, que te van cercando. Puedes mantenerte ajeno... Hasta que de repente, sin que quede muy claro por qué, caes en la telaraña. Te toca... ¿Cuáles son las reglas no escritas? ¿Cómo evadirlas?

Encuesta: ¿cuántos ciudadanos conoce usted que cuando son asaltados en la calle llaman a la policía? Pocos, ninguno; quizá a uno de esos policías azules esquineros de la nueva ciudad democrática. ¿A un policía secreto? Ni que estuviera loco. ¿Quién quiere que lo asalten dos veces?

¿Cuántas fuerzas policiacas había en México? Cincuenta y dos, se decía. ¿Cuántas de éstas tienen existencia legal? ¿Cuántos guardaespaldas, paramilitares, grupos de choque asociados a esta o aquella dependencia oficial?

Te despiertas en la mañana con la ingrata certeza de que la ley de probabilidades trabaja contra ti.

II

—Te vas a morir —le dice el tipo al hombre arrodillado, y reitera la frase mostrándole el cañón de la pistola. El hombre arrodillado, que sangra por una pequeña herida sobre el puente de la nariz, no contesta; piensa que sí, que se va a morir.

Horas después, cuando hace la denuncia de los hechos ante un grupo de periodistas somnolientos, piensa que sí, que se murió, un poco se murió.

El hombre es el diputado Leonel Durán, miembro del consejo nacional del PRD. Hacia la mitad de julio pasado, un coche negro se le ha cerrado en la mitad de la noche ante su automóvil. A punta de pistola y metralleta lo han hecho descender. Las amenazas políticas se mezclan con el robo vulgar; lo encierran en la cajuela, lo golpean, le quitan sus tarjetas bancarias, lo hacen recorrer la ciudad de México enclaustrado, le roban el reloj.

Al final lo abandonan en un descampado tras amenazarlo con aplicarle la ley fuga.

Una de sus tarjetas bancarias estaba sobregirada, se la tragó la máquina automática. Esto fue lo que más indignó a los policías.

Aquí, ni siquiera la violencia política es aséptica.

III

A finales de los noventa se produjo en el sur de la ciudad una cadena de violaciones de adolescentes que seguían el mismo esquema: un grupo de hombres armados asaltaba a una pareja de jóvenes que se estaban despidiendo en el automóvil. Tras el robo, la violación de las adolescentes. Generalmente encerraban al acompañante en la cajuela. Todas las violaciones iban acompañadas de continuas amenazas de muerte. El terror se practica sin objetivo; tan sólo la voluntad de ejercer un poder enfermo que llega hasta el derecho a la muerte. En un par de casos las cosas fueron a mayores y a los agresores se les pasó la mano: una muchacha estrangulada, un novio agresivo que recibió un disparo; uno de los encerrados en la cajuela se asfixió.

La mayoría de las violaciones no fue denunciada. Se estaba dentro de la tradición. Pero en uno de los casos la agredida era hija de un importante funcionario público. Se inició una investigación policiaca. Algunas de las adolescentes violadas reconocieron a sus agresores en un álbum fotográfico policiaco.

¿Era un álbum de fotos de conocidos delincuentes? No. Era un álbum de fotos de funcionarios de la ley. La banda de violadores estaba formada por la mayoría de los miembros de la escolta personal del subprocurador de justicia Javier

Coello, el asistente del fiscal general de la República a cargo de las operaciones contra el narcotráfico. Tenían mucho tiempo libre esperando en estacionamientos, a la puerta de oficinas, o en casas de políticos. Pasaban el rato...

Algunos de los violadores asesinos fueron juzgados, otros quedaron en libertad. El subprocurador fue relevado de su cargo y trasladado a la Procuraduría de Defensa del Consumidor. A perseguir a los que le aumentan un poco el precio a las videocaseteras.

IV

Mi amigo Víctor Ronquillo me contó hace unos años la historia de un hombre que, desesperado por la crisis económica, quiso asaltar un banco. Era albañil y no sabía cómo hacerlo. Un día descubrió que desde la obra en construcción en la que trabajaba, ahí por la Calzada de la Viga, en el oriente de la ciudad, se podía saltar hacia el techo de una sucursal bancaria, y que en el techo se veía un respiradero. Lo hizo.

Llegar al respiradero fue fácil. Tratar de pasar, también; había una falla en las medidas de seguridad, y rompiendo algunas varillas se podía acceder al banco. ¿Y luego? Descubrió enseguida la caja fuerte. Intentó abrirla con sus instrumentos de albañil. Imposible. Amanecía. Volvió a recorrer el camino hacia el techo, ahora en sentido inverso. Durante todo el día permaneció en el techo del banco. Los automóviles cruzaban las calles. La gente entraba y salía de la oficina bancaria. No comió. En la noche volvió a intentar la experiencia. Nada. Después de horas de estar peleando con la caja fuerte, sólo logró hacerle unos arañazos a la cerradura. Se robó algunas monedas que habían quedado en uno de los mostradores. Al amanecer volvió al techo... Lo detuvieron accidentalmente. El albañil que intentó robar un banco enmudeció en los interrogatorios policiacos; incluso se negó a dar su nombre durante el juicio.

V

¿Será la nube negra de la contaminación que corre de noreste a suroeste utilizando las vías rápidas? ¿Será eso lo que nos enloquece a todos un poco?

Pero hay algo más que locura, hay organización. En Santa Clara, la zona industrial en el extremo norte de la ciudad, un barrio lleno de fango químico y tierra suelta, una patrulla policiaca espera al amanecer a los trabajadores que abandonan el tercer turno de la fábrica de jugos de fruta Del Valle. Una vez por mes, los trabajadores reciben de la empresa una caja de jugos enlatados. Es una mísera conquista sindical en épocas de crisis. La patrulla los detiene a unos pocos metros de la salida de la fábrica y le roba la mitad de la caja de jugos a cada uno. Van colocando los botellines en el asiento trasero hasta que se llena; luego se van con el motor a media velocidad.

Un día vi cómo los obreros que se habían reunido a protestar por la esquilma les tiraban piedras. No se molestaron en detenerse. Simplemente se fueron. ¿Venden los jugos en una tiendita de un barrio vecino? ¿Se los llevan a su familia?

VI

En los últimos años, vientos del cambio han recorrido la ciudad de México; los ciudadanos tienen más poder, protestan, han sacado a la vieja administración a patadas. Pero no han podido derrotar al crimen. Quizá mejorar las relaciones con la policía esquinera.

La locura retorna con nueva variantes. Ahora tenemos a una mataviejitos; a un caníbal que se come a sus novias.

VII

Un motorista de tráfico me detiene. Le falta uno de los espejos a mi motocicleta. No estoy dispuesto a pagar mordida y se lo digo claramente. Nos reímos de mi claridad. Me cuenta que a él le cobran por esa esquina. Su jefe de grupo le pide una cantidad semanal. Si no paga, lo mandarían a una esquina peor, sin tráfico. Además, tiene que pagar los desperfectos de su moto, y lo tiene que hacer en un taller particular, no en el taller de la policía, porque ahí se roban las piezas nuevas de la motocicleta y las cambian por otras. También dice que sale a la calle sólo con medio tanque de gasolina, aunque tiene que firmar un recibo todos los días por el tanque completo. Yo le digo que no voy a pagar mordida. Se niega a darme su nombre. Yo no le doy el mío. Esperamos, comienza a llover. Se aburre de mí. Con un gesto me dice que me vaya. Sonriente. Ni siquiera hay mala fe; rutina tan sólo.

VIII

Paloma, mi esposa, llega indignada y me cuenta la historia de los dos tipos que descubrió leyendo los titulares de una revista enfrente de un puesto de periódicos.

La conversación es como sigue:

Hombre uno: Le pegó cuarenta y dos puñaladas a su esposa. Cuarenta y dos, mano.

Hombre dos: ¿Te fijas?, lo harto que lo debería tener…

Mi mujer se indigna. Añade que además los tipos ni siquiera habían comprado la revista.

IX

Un par de policías vestidos de civil llegan hasta la puerta de tu casa para informarte que han encontrado tu automóvil, pero tú no has denunciado ningún robo. Incluso, no sabes que se han robado tu automóvil. Es más, corres hasta la ventana y te asomas para verificar que es cierto, que tu auto ha desaparecido de donde lo dejaste anoche. Ellos te dicen que vienen a reportar que han descubierto un robo que no has denunciado. Sinuosamente sugieren que han descubierto el coche. ¿Y dónde está?, pregunta inocente. Le dan vueltas. Al fin te dejan claro que quieren el 10% del valor del auto (maravilloso, ya hay tarifas fijas.) Eso si quieres que reaparezca, insinúan, porque si no, a lo mejor se lo llevan fuera de la ciudad y listo. Si tienes el coche asegurado, les dices que vayan y se arreglen con el seguro; si no, has caído en la trampa. Tu coche cuesta noventa mil pesos; hay que poner nueve encima de la mesa. Estás seguro de que estos dos personajes que se han sentado en la sala de tu casa y que aceptan un café, se han robado el coche, han revisado los papeles y han venido a hacer un pequeño negocio a tu costa. Supones que en su rutina se encuentran un par de operaciones diarias de este tipo.

X

Aquí hubo también una cultura mariguanera. Producto nacional. Nombres mexicanos para marcas aún no registradas: Acapulco Gold, Tijuana Blacks, Oaxaca Smalls. Tengo la impresión de que ha desaparecido y que las tradiciones alcohólicas han triunfado. Se fue con la reconversión de los hippies en burócratas y la crisis económica, y sólo de vez en cuando el tufo de "quemar mota" se desprende de la multitud en un concierto de rock. El consumo de drogas en la ciudad de México no parece ser sujeto de creación de angustias en la opinión pública de una ciudad en la que lo son tantas otras cosas: inundaciones, temblores, contaminación... La heroína nunca entró masivamente en la sociedad mexicana. De vez en cuando uno escucha un caso aislado, muy de vez en cuando, y se habla de él como del extraterrestre hollywoodense visto en el cine pero no creído del todo. La cocaína, la droga de los yuppies y los ejecutivos, origina rumores, sólo rumores. De vez en cuando los rumores se convierten en notas aisladas en los periódicos. Se dice por ahí y por acá que el polvo blanco flota en los baños de Televisa. Se cuenta que una estrella de cine tuvo que ser operada para que le reconstruyeran los tabiques nasales, o que un cómico de programas infantiles snifa antes de salir ante las cámaras a contar chistes blancos. Sin embargo, la droga dura no está en la vida cotidiana, aunque se puede encontrar en casi cualquier centro nocturno de nivel medio. Aquí la palabra *droga* no se asocia con el consumo, sino con el tráfico.

Somos el gran portaaviones, la estación de despegue hacia los Estados Unidos de millares de toneladas de mariguana, de centenares de kilos de cocaína. Manufacturas locales y sudamericanas que cruzan la frontera en camiones fantasmas ante aduaneros previamente ciegos.

Los narcos se encuentran en la ciudad de México perseguidos e incómodos, pero poderosos. De vez en cuando muestran sus pulseras de oro y beben coñac francés en compañía de policías. Los perros entrenados del aeropuerto de la ciudad de México no pueden traspasar el olor de las colonias de Loewe.

En la otra esquina de la ciudad, a la vista de todos, ruedan por las calles millares de deshechos humanos, niños de diez, ocho, cinco años, con los ojos vidriosos, el lenguaje tartamudo, las manos y los ojos llenos de tierra suelta de los camellones. Unos cuantos, algunas decenas de miles. Los llaman "chemos"; chemo, por cemento. Inhalan disolventes químicos como thínner y aguarrás, se intoxican con el vaho de pegamentos de resina en bolsas de plástico. Es la droga de la infravida, de la miseria. Por unos cuantos pesos hay sueño para siempre. Las neuronas van muriendo. La vida se acorta.

XI

La violencia del hambre usualmente no es parte de una organización social. La crisis arroja a los barrios más miserables de la ciudad sobre el centro. En la Calzada Zaragoza, al este de la ciudad, eran frecuentes los asaltos a autobuses por jóvenes, navaja en mano. Roban a obreros que vuelven de su trabajo, a sirvientas, a vendedores de los mercados. Hordas de adolescentes desesperados descendían de Santa Fe, una las zonas más pobres del occidente de la ciudad, y asaltaban camiones repartidores de refrescos. La región se ha reconvertido; hoy es el asiento de la nueva burguesía. En los supermercados de las Lomas de Chapultepec, en el corazón del México millonario, hace años se practicaba una nueva modalidad de robo: hombres que asaltaban a las damas después de la compra, en los estacionamientos subterráneos, armados con los instrumentos del artesano: un desarmador, un picahielo, unas tijeras. Piden las bolsas de la comida; se niegan a llevarse automóviles o dinero. Era el robo del hambre. En los últimos años ha descendido; los programas sociales lo han frenado.

XII

He dicho muchas veces que la estadística nos pone ante una ciudad sorprendente: una ciudad en la que hay más cineclubes que en París, más abortos que en Londres y más universidades que en Nueva York. Donde la noche se ha vuelto difícil, áspera. Reino de unos pocos. Donde manda una violencia que arrincona y encierra en el autismo. Encarcela en la recámara ante el televisor, crea el maligno círculo de soledad en el que cada uno no puede apelar más que a sí mismo. Casi siempre, a veces.

XIII

Los narradores cuyas historias se reúnen aquí no tienen miedo de intentar exorcizar a los demonios. Con registros narrativos muy diferentes, tienen en común hablar de una ciudad en la que viven y a la que aman. De alguna manera entienden que la única manera de detener la violencia y el abuso que nos rodea, es contarlo. Son todos ellos profesionales de la literatura, pero también son profesionales de la supervivencia en el D. F. Quizá las tintas están un poco cargadas, quizá no hay demasiados pajaritos piando sobre los árboles ni parejas de adolescentes tomadas de la mano, pero de vez en cuando ahí asoman por sus historias. Casi todos ellos, todos nosotros, apelan, apelamos, al sentido del humor, un humor negro y bastante ácido, que permite distanciarse, burlarse de Lucifer.

No sería ésta una antología promovida por el departamento de turismo de la ciudad de México, pero si cualquiera que la lea pregunta desde cualquier esquina del planeta si los que escriben recomiendan viajar a la ciudad de México, recibirá en un elocuente y encendido: "Sí, claro", porque ésta es la mejor ciudad del planeta, a pesar de sí misma.

Un segundo elemento en común entre los textos que preceden a esta nota es su vocación de experimento, el uso de planos narrativos cruzados, monólogos internos, cambios de perspectiva. El neopoliciaco nació en México no sólo con una vocación de literatura social, sino también con una notable apetencia por salirse de los caminos tradicionales del género.

XIV

No es fácil desentrañar las geografías del monstruo urbano que se registran aquí. La historia de Juan Hernández Luna sucede en alguna parte del centro sur de la ciudad, la colonia Roma o algo así; la de Monteverde en el Panteón de San Fernando; la de Julia Rodríguez en la colonia Buenos Aires, durante algunos años cubierta por la fama de ser la zona más peligrosa del D. F.; la de Eugenio Aguirre en el centro histórico de los años cincuenta, donde Rolo Diez sitúa su historia cuarenta años más tarde; la de Óscar de la Borbolla en cualquiera de los centenares de colonias de clase media de la ciudad; Víctor Luis González escribe sobre la colonia Del Valle; *Bef* ubica su narración de un departamento en la oligárquica colonia Polanco a un almacén en la proletaria Industrial Vallejo; Haghenbeck sitúa su marlowiana historia en la colonia Condesa de los años sesenta. La mía sucede en la colonia Doctores, a unos cuantos kilómetros, y más depauperizada que la Narvarte, donde Eduardo Antonio Parra sitúa la suya. Myriam Laurini situará la suya en la Hipódromo.

México, D.F., 2009

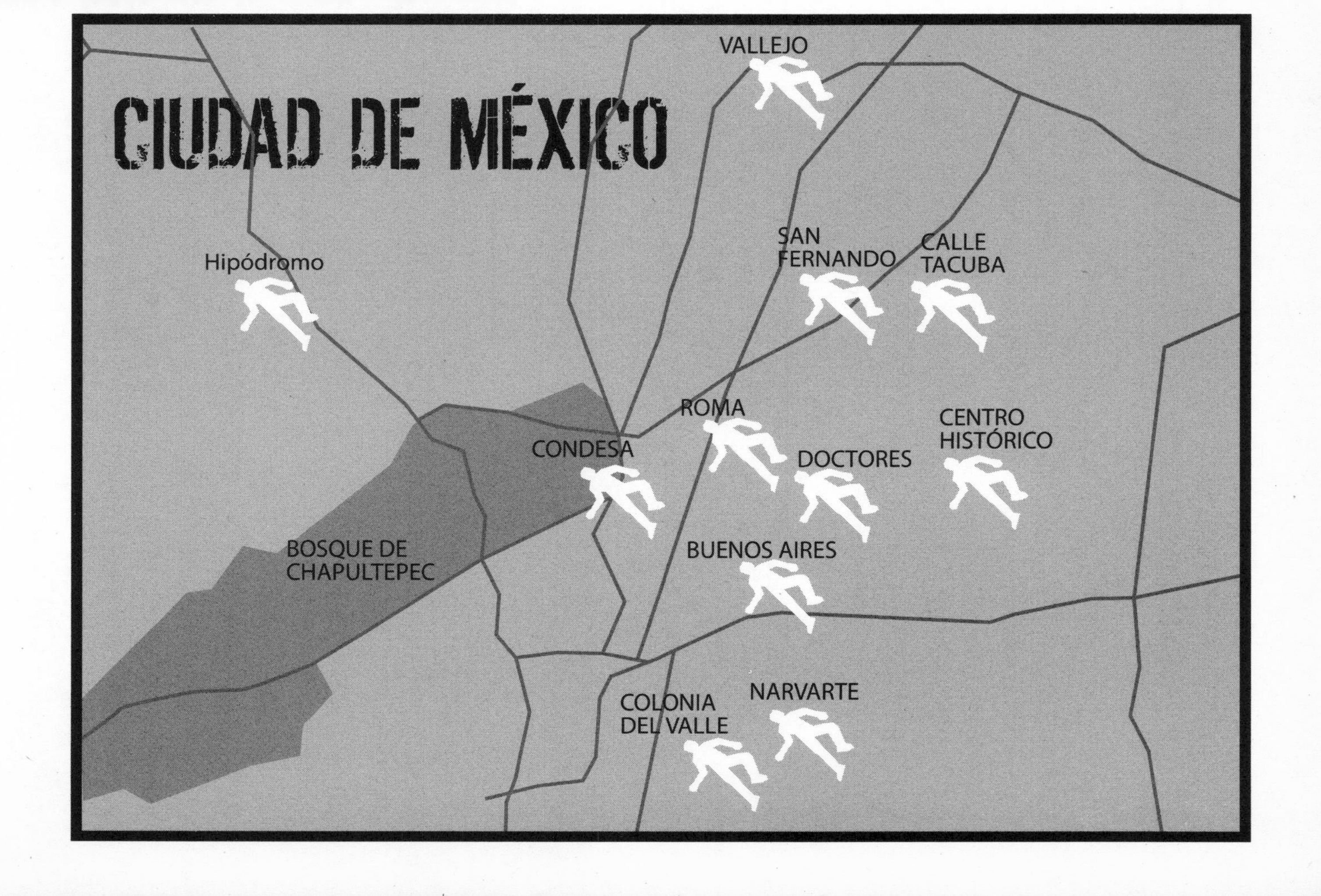
CIUDAD DE MÉXICO
VALLEJO
Hipódromo
SAN FERNANDO
CALLE TACUBA
ROMA
CENTRO HISTÓRICO
CONDESA
DOCTORES
BOSQUE DE CHAPULTEPEC
BUENOS AIRES
COLONIA DEL VALLE
NARVARTE

PRIMERA PARTE

POR ENCIMA DE LA LEY

1

No soy nadie

por *Eduardo Antonio Parra*

NARVARTE

Los pies en movimiento: un paso, otro, luego otro más. La vista inmóvil en los bloques de la banqueta. Las manos aferradas al carrito del súper donde lleva sus pertenencias: un jorongo, un plato y una cuchara de peltre, dos cobijas deshilachadas, un vaso de plástico, la foto de una mujer y un niño decolorada por el sol, un suéter, una bolsa de papel con colillas y tres cigarros enteros, unos tenis casi nuevos, una botella con restos de alcohol, cartones y cajas vacías. Su vida: la que le queda. Empuja. Sigue avanzando sin ver los rostros de quienes vienen en sentido inverso. No veo. Nunca me fijo. No he visto nada, mi jefe, se lo juro. Por ésta. Ni siquiera miro las casas o los edificios; nomás los letreros de las calles para saber por dónde ando. Camina sin escuchar el rugido de los motores, ni el estruendo de claxonazos que se anuda en torno a la glorieta, ni las voces, ni los rechinidos de llanta. No soy nadie. No. Tampoco oí nada. Nunca oigo nada. Estaba chachalaco, usted sabe. Sin notar el olor de las fritangas que sin embargo algo le alborota allá abajo, en el fondo del estómago. Sin sentir la lluvia, el calor o el frío mientras avanza. Sólo camina midiendo la banqueta a través de la cuadrícula de alambrón del carrito, sorteando con las ruedas bordos y baches. Como todos los días durante todo el día.

Sí, camina sin oír, sin ver. Siempre igual. Desde que llegan los vigilantes uniformados de gris de la Secretaría de Comunicaciones y Transportes y abren el portón de los estacionamientos, antes de apostarse tras los cristales de la cabina. Si le toca el turno de día al viejo de bigote blanco, le pica las costillas con el garrote ese que trae colgando de la cintura. Pero si es el gordo de la cara colorada, le da un puntapié en las costillas, suave, sin intención de hacer daño.

—Ora, pinche *Vikingo.* Ya amaneció. Ahuécale.

Y él, aún entre sueños, se pregunta quién será ese *Vikingo* al que se refieren, hasta que, en medio de los retortijones, los calambres y las brumas de la mente, le llega la imagen lejana de una cabellera y una barba hirsutas, de color rojo apagado, que recuerda haber visto en algún espejo o en el reflejo de un aparador. *El Vikingo* soy yo. Pero antes no. Antes no tenía barba. Pos sí: *el Vikingo.* Nadie. Y con torpeza hace el esfuerzo de ponerse de pie mientras su lengua entumecida logra desprenderse del paladar para pedir una, dos, mil disculpas.

—Perdone, mi jefe, no lo oí llegar. Le juro...

—No me jures nada. Mira nomás qué puerco andas hoy. Seguro rompiste una botella y te cortaste, pendejo. ¿No?

—Yo no soy nadie. No. No oí nada.

—Mira, agarra tu chingado carro y lárgate. No tarda en venir la gente a trabajar. Si te llega a ver algún director o el señor secretario capaz que me corren a mí también por dejar dormir en el portón a huevones como tú.

Por eso desde muy temprano comienza a mover los pies y a empujar su carrito. Primero despacio, tratando de ignorar la hinchazón de las articulaciones, los violentos latidos de las sienes, el asco. Cruza la avenida indiferente a los frenazos y las mentadas de madre de los automovilistas que se dirigen al

Eje Central, y aspirando el esmog matutino aborda la glorieta donde pasea su humanidad entre oficinistas apresurados, ancianas que regresan de la misa de ocho en la iglesia de Romero de Terreros, y hombres y mujeres con ropa deportiva que no tuvieron tiempo de ir a trotar hasta el Parque de los Venados.

Algunas con asco, otras con temor, todas las miradas se desvían al toparse con su enorme figura cubierta de pantalones de varios colores, camisetas, sudaderas, suéter, saco y un abrigo claro lleno de lamparones que arrastra por el suelo. *El Vikingo* alza la vista en busca del sol y se cubre los ojos con una mano, como si el resplandor le trajera malos recuerdos. Luego, con ritmo lento rodea la circunferencia de la glorieta una y otra vez, esperando que al final de cualquier vuelta la negrura ya se haya instalado de nuevo en todos los cielos de la ciudad. No reposa en ninguna de las bancas de piedra, no se acerca a la fuente, no pasea por el jardín, ni se interna entre los troncos de los árboles. Nunca abandona la banqueta que ahí es de color ladrillo. Camina por horas para agotarse, para no pensar. Para deshacerse de las imágenes de una vida que vivió hace muchos años. Para dar tiempo a los vecinos del barrio de tirar en los basureros algo de comida o bebida útil. Para olvidarse de lo que sucede en las calles por la noche: de lo que sucedió anoche.

Algo que no tiene que ver con su entorno lo hace detenerse en seco. Dirige la vista hacia las copas de los árboles y el graznido de un zanate le trae a la mente el recuerdo de un hombre huyendo entre las sombras. El hombre gritaba, como el ave ahora. Se oían insultos. Sí. ¿Fue ayer? ¿O fue otra noche? Su memoria herrumbrosa se esfuerza por atrapar el dato, pero hay demasiada niebla en ella. Reanuda la marcha en tanto niega con la cabeza. No, no he visto nada. Se lo juro, mi jefe. Yo nomás camino. No sé hacer otra cosa. Doy vueltas por aquí. Me gusta la Narvarte porque es una colonia con muchos árboles y pájaros. La gente no se mete con uno. Recorro el barrio sin ver, sin oír. No soy nadie. Ni nombre tengo. El graznido del ave se repite en lo alto y lo distrae. *El Vikingo* escudriña el entramado de las ramas hasta que distingue un aleteo pardo entre el follaje. Sonríe y camina otra vez. Nunca veo nada ni oigo nada. Nomás los pájaros. Un paso. Otro. Luego otro más. Sólo eso, mi jefe. Sí sabe, ¿verdad?

Las ruedas del carrito rechinan como si quisieran llamar su atención. Él revisa su carga y la reacomoda sin disminuir la marcha. Antes traía más cosas: un portafolios con papeles de trabajo, una cartera sin dinero pero con documentos, un manojo de llaves, un peine, un reloj, una corbata. Eso fue en otra época, antes de vivir en las inmediaciones del Parque Delta que se llenaban de gente cuando había partido de beisbol y de que lo llamaran *el Vikingo*, porque según otro tepocho se parecía mucho a uno de los peloteros de los Diablos Rojos. Cuando demolieron el parque para construir el centro comercial tuvo que buscar otro sitio para vivir y perdió sus pertenencias. ¿O fue una de las veces que lo levantó la patrulla? Prefiere no acordarse. Esquiva a dos mujeres jóvenes vestidas con faldas y sacos idénticos que llevan bolsas de papel estraza manchadas de grasa. Después, a un hombre de corbata que escarba sus dientes con un palillo. A un anciano que parece buscar una banca para reposar al sol. A un grupo de adolescentes con camisas y pantalones blancos que regresan a sus casas haciendo escándalo. Lleva muchas vueltas. Comienzan a arderle las plantas de los pies. Un paso. Otro.

Ni nombre tengo, mi jefe. *Vikingo*, sí. ¿Eso es un nombre? Aunque antes sí tenía. Fernando, creo. Como el niño de la foto. Ése que está con su mamá. Cuando vivía. Ahora no soy nadie. Una mujer con casco, uniforme azul y una macana en la mano atraviesa la glorieta unos metros más adelante y el corazón del *Vikingo* se cimbra con fuerza. Aminora el ritmo de sus pasos. La imagen del hombre que huía aparece de nuevo en su memoria. No, yo no soy Fernando. Fernando era ése. Se iba cayendo. Chocó conmigo y los otros gritaban su nombre. No vi nada. No soy nadie. Vuelve a detenerse. Su respiración es agitada. ¿Ya había pasado por aquí?, se pregunta.

Una muchacha está de pie cerca de él, contemplándolo con ojos muy abiertos. Lo recorre desde la roja cabellera revuelta hasta los tobillos llenos de costras. Clava una mirada sorprendida en las manos del *Vikingo* y se aleja con un gesto de repulsión. Sí, niña, no me las he lavado, piensa él, pero de inmediato la olvida para mirar la calle que se le abre al frente con un camellón central lleno de palmeras secas y las anchas banquetas pobladas de gente que se arremolina en puestos de tacos, tamales, tortas, jugos. El aire se ha cargado de olores densos, dulzones, pegajosos. Él impulsa el carrito hacia el arroyo y esta vez sí escucha con claridad el chirriar de llantas y los insultos. Uno de los conductores incluso abre la portezuela de su vehículo y baja furioso, pero en cuanto ve bien al vagabundo vuelve a subir sin decirle ni una palabra.

El Vikingo llega a la acera contraria y se detiene al pie de un poste donde hay un letrero: "Cumbres de Maltrata". Al pasar a su lado, hombres y mujeres lo observan con insistencia. Repasan su indumentaria con curiosidad, como si no pudieran creer que un hombre pueda llevar tanta ropa encima. Luego ven las mangas manchadas de su abrigo, sus manos, y se alejan de él con premura. Él levanta la cara y aspira el aire de la ciudad: entre los efluvios destacan el de la mierda y la sangre. ¿Se trata de su propio olor? Un paso. Otro. Luego otro más. Caminar. Empujar. Como empujó al hombre anoche. Era Fernando. Sí. ¿Fernando qué? No soy nadie. No vi nada, mi jefe, se lo juro. Por ésta.

Oficinistas, amas de casa, estudiantes mastican y beben con dedicación; sus rostros reflejan placer y prisa. Platican entre ellos sin cesar, hacen bromas, ríen. Sus carcajadas retumban en los tímpanos del *Vikingo.* Algunos han terminado de comer y fuman, arrojando el humo al cielo, donde va a reunirse con las emanaciones de los coches. Ellos sí tienen una vida, se dice *el Vikingo* sin atreverse a mirarlos demasiado. Tienen nombre. Fernando o Juan o Lupe. Son alguien. Yo no. Yo ni nombre tengo. El borroso recuerdo de la noche anterior le provoca unas intensas ganas de sentir el humo del tabaco raspando su garganta, llenando sus pulmones. Con la cabeza gacha, se acerca a un tipo que acaba de prender un cigarro, y antes de que pueda hablarle, el otro lo mira y retrocede. Entonces *el Vikingo* baja aun más la cabeza y continúa su camino intentando pasar inadvertido. Hurga en el interior de la bolsa de papel. Quiere ubicar con el tacto la colilla más pequeña, pero en cambio saca uno de los cigarros enteros. Está manchado, pegajoso, lo mismo que sus manos. Se lo lleva a la nariz para aspirar el aroma del tabaco y la boca se le inunda de una saliva con sabor a cobre. Un paso. Otro. Luego otro más. No tengo cerillos. Se dirige a uno de los puestos donde varios trozos de carne, racimos de tripas y largas tiras de longaniza, chisporrotean en su baño de manteca hirviendo. La gente que come en torno a él se queda en silencio al verlo aparecer. *El Vikingo* titubea, está a punto de alejarse, pero se da cuenta de que en uno de los costados del puesto no hay nadie comiendo. La tabla que hace las veces de barra está llena de platos con sobras, salsas verdes y rojas, cebolla picada, hierbas y saleros. Cuelgan del techo algunos tubos de longaniza, en forma de flor, como si alguien los hubiera manipulado para convertirlos en adorno del local. Adentro, un tipo con gorro blanco y mandil sucio de sangre golpea un tronco de árbol con un cuchillo, arrancándole un tamborileo rítmico, casi musical. Los olores grasos y picantes son más intensos que nunca, pero *el Vikingo* no huele nada de eso, sino sólo el tabaco que aún inunda sus fosas nasales. Estaciona el carrito junto a un tambo de basura y se acerca al hombre del mandil, quien sonríe al verlo.

—Quiúbole, mi *Vikingo.* ¿Ya comiste? ¿Quieres un taco?

—Fernando iba corriendo... —el vagabundo niega con un movimiento de cabeza y adelanta la mano que sostiene el cigarro—. Quiero fuego. Perdón, mi jefe. No vi nada. No soy nadie.

—Sí, carnal. Lo que tú digas. Pérame tantito.

Ante la mirada incómoda de los demás comensales, el hombre del mandil coloca frente al *Vikingo* dos tacos. Enseguida toma una cajetilla de su mesa de trabajo, saca un cerillo, lo enciende y levanta la flama. *El Vikingo* ni siquiera mira los tacos. Se coloca el cigarro entre los labios y se arrima para encenderlo. Aspira. Tose.

—Oye, ¿qué traes en las manos, güey?

El Vikingo recorre con la mirada las manchas sanguinolentas del mandil del taquero. La mano que sostiene el cigarro comienza a temblarle. También las rodillas. Tiene prisa de alejarse de ahí, pero responde:

—Chocó conmigo. Lo empujé con las manos. Yo no sé nada. Nomás camino. Un paso. Otro. No soy nadie.

—¿Quién chocó contigo?

—Se iba cayendo...

—¿Quién?

—No vi nada, mi jefe. No entiendo. Por ésta. Tampoco oí. Ni nombre tengo, aunque sí tenía. Gracias por la lumbre. Un paso. Luego otro más.

—Pinche *Vikingo*, cada día estás peor, cabrón. Órale, ai te ves.

Ahora el corazón le late con un ritmo más veloz. Aspira el humo a grandes bocanadas, sin saborearlo, mientras los jugos gástricos reverberan y gruñen dentro de su estómago. Tengo sed y no vi nada. Sed. Lleva la vista fija en la botella, donde sabe que aún resta un trago, pero quiere dejarlo para después, porque algo en su interior le dice que lo va a necesitar. Trata de contar cada una de sus zancadas, cada metro ganado a la distancia, porque la imagen del hombre que corría, de Fernando, se le ha adherido a la memoria y no consigue deshacerse de ella. La gente y los puestos callejeros se multiplican en la banqueta y debe caminar más despacio para no golpear a nadie con el carrito. Más adelante se encuentra una de las salidas del metro, donde los que van y los que vienen se aprietan. No le gustan las multitudes. Prefiere la soledad. Pero en la ciudad las calles sólo están solas por las noches. *El Vikingo* mira el cielo: el sol aún no termina su recorrido. Falta mucho para que anochezca. Da vuelta en la esquina para huir de la gente.

Él venía hacia mí. No vi nada, mi jefe. No tuve tiempo de hacerme a un lado. No. Nomás pude quitar mi carro. Fernando, sí. Pero no lo vi. Tampoco lo oí. No. Nada. Yo camino y camino. Venía cayéndose. Agachado. Agarrándose la panza. Me alcanzó de lleno y lo empujé para que no me tumbara. Por eso traigo las manos sucias. Detrás venían los otros. Cuando la brasa de su cigarro llega casi hasta el filtro, mete otra vez la mano en la bolsa de papel. Ahora sí saca una colilla. La enciende con la lumbre moribunda del cigarro y chupa el humo con desesperación.

En esa cuadra hay menos gente y los que pasan a su lado no reparan en su presencia. Un bolero lo saluda, aunque él no se da por enterado. Dentro de los comercios, tras los mostradores, atisba rostros familiares. Conoce el barrio; las personas también lo conocen a él, y eso lo tranquiliza. Cruza una calle, da vuelta en otra esquina. Cada vez hay menos gente. Por fin se detiene frente a la iglesia. Ahí está el jefe, el mero jefe, se dice mientras contempla la cruz del campanario, las escaleras que conducen al interior. Siente el impulso de meterse al templo y sentarse en una de las bancas, con las ancianas que rezan el rosario de la tarde. Quizás ahí encuentre sosiego. Sí, sentarse en una banca en medio del silencio. Años atrás lo hacía. Cuando pasaba las noches alrededor del Parque Delta junto con otros como él. Y antes de eso. En la época en que tenía nombre y vivía en una casa con una mujer y un niño.

Pero en cuanto lo piensa, los recuerdos se le fugan del cerebro. Saca de la bolsa otra colilla que prende con la anterior. Sí. Fernando se tropezó conmigo. Yo no lo vi. Tampoco a los que venían atrás. No, mi jefe, se lo juro. No vi sus placas. Ni sus uniformes. No vi nada. Ni oí nada. No soy nadie. Ni siquiera los disparos que le entraron todos en la barriga porque estaba caído y no podía moverse el tal Fernando. Adiós, jefazo. Otro día lo visito con más calma. Echa otra mirada al campanario, a las puertas de la iglesia, y empuja el carrito. Un paso. Otro. Luego otro más.

Una nube negra que tapa el sol por unos instantes lo engaña haciéndolo creer que la oscuridad está por llegar. *El Vikingo* tiene un acceso de alegría, suspira. Alarga la mano hacia la botella, la acaricia con ternura. No la destapa; lo hará al regresar al portón de la secretaría para pasar la noche. Sólo la levanta para verla bien. No es de alcohol del noventa y seis, sino de aguardiente. ¿Cómo llegó a sus manos? Se rasca la cabeza y sus uñas se topan con una mata de pelo apelmazado, pegajoso. Se huele los dedos: mugre y sangre. La botella fue un regalo, ahora lo recuerda. Un regalo de Fernando. Pobre Fernando. Chocó conmigo y se cayó. Ya venía cayéndose. Sí. La sangre es de él. Pobre.

Cuando la nube libera los rayos solares, una inquietud mordiente vuelve a apoderarse del *Vikingo.* Acelera el paso. Camina. Empuja. Tengo que llegar al portón. No vi nada. El aguardiente. No. No me lo dio el muerto, sino ellos. Los que venían atrás, persiguiéndolo. No soy nadie. No sé nada. La calle desemboca en otra avenida. *El Vikingo* busca un letrero en las esquinas hasta que da con él: "Universidad". A la izquierda queda la glorieta. Un poco más allá su portón. Pero aún es de día. Debe seguir caminando. Como cuando vivía en los alrededores del Parque Delta. Caminar siempre. ¿Por qué? Porque si no te levantan los azules, los tecolotes, le decían. ¿Y por qué te levantan? Porque así es. Porque son la ley. Y si te llevan te ponen una madriza nomás pa' divertirse. Mejor camínale. Un paso. Otro. Otro más.

Una mujer se atraviesa en su camino. Lo observa. Al *Vikingo* su rostro le parece familiar. Cree recordarla regañándolo por andar tan sucio y oler tan mal, corriéndolo de su banqueta, amenazándolo con llamar a la policía si no se va. Quiere sacarle la vuelta, pero la mujer se mueve para taparle la ruta. Piensa en ir hacia atrás, pero ha olvidado cómo hacerlo; sólo sabe dar pasos para adelante. La mujer es desagradable. Avanza hacia él y sujeta el carrito por el lado de la cuadrícula de alambrón.

—Ya sabía que tenías que pasar por aquí, apestoso. Ora sí no te me escapas. Ya supe lo que hiciste anoche. A ver, enséñame qué mugres traes en tu basurero.

Anoche. Yo no fui. No soy nadie. *El Vikingo* se paraliza. Las piernas se le deshacen en temblores. Su corazón ha enloquecido. La imagen del tal Fernando tirado en un charco de sangre se multiplica en su memoria. Fernando. Así lo llamaron quienes lo perseguían. ¡Fernando! ¡Párate ai, cabrón! ¿Quieres protección y no la pagas? ¡Venimos a cobrarte, hijo de la chingada! Eso gritaban los uniformados. Luego los balazos. ¡Y tú, quítate de aquí, pinche teporocho! ¡Y si abres el hocico ya sabes lo que te pasa! Las imágenes saltan a la mente del *Vikingo* sin ningún orden, como si las desencadenara el gesto regañón de la mujer. Fernando corriendo. Su panza chorreando sangre. Lo empujo y me embarra. Fernando en el suelo. La sangre en mis manos. Y la botella... Ellos me dieron la botella. No has visto nada, teporocho. No, mi jefe. Yo no vi nada. Nunca veo nada. No oigo nada. No soy nadie. Así me gusta, cabrón. Mira, ten este pomo. Te va a ayudar a olvidar. Sí, mi jefe. Pero nosotros sí nos vamos a acordar de ti siempre. Y nosotros somos la ley. Te podemos levantar cuando nos dé la gana. ¿Entiendes? Sí, mi jefe. ¿Cómo te llamas? No tengo nombre, mi jefe. No soy nadie. Muy bien, así me gusta, lárgate y calladito.

—¿Cómo te llamas?

—No tengo nombre, mi jefe. No soy nadie.

—No me digas mi jefe. Soy la señora Chávez, jefa de vecinos de esta cuadra.

—Sí, mi jefe.

—La gente se ha quejado mucho de los borrachos y drogadictos que andan por aquí. Te acabo de reportar. Tú eres al que le dicen *el Vikingo*, ¿no?

—No soy nadie.

Trata de soltar su carrito de la mano de la mujer, que se afianza a la cuadrícula como una garra. Hace otro intento pero tampoco consigue que lo suelte. Todos los huesos del *Vikingo* han perdido firmeza; parecen de plastilina, aguados, sin energía. Quiere suplicar a la mujer que lo deje ir, decirle que debe continuar caminando, pero de su boca sólo salen las mismas palabras de siempre.

—No vi nada. Tampoco oí nada. No soy nadie...

—¿Me vas a decir que no sabes del muerto que apareció en la madrugada a una cuadra de la secretaría? Dicen que vieron por ahí a un vagabundo con un carrito del súper. Y por aquí el único que arrastra un carro de éstos eres tú. ¿Y ya te viste? Por lo menos deberías haberte lavado la sangre después de matar a ese pobre hombre.

—Fernando...

La mujer sonríe triunfante y su rostro se contrae en un gesto maligno.

—Sí, Fernando Aranda. ¿Ya ves cómo sí sabes? Ora le vas a contar todo a la policía.

—No sé nada. Yo nomás...

La desesperación le da algo de fuerza y mueve el carro, pero no logra arrebatárselo a la mujer.

—¡Tú no te mueves de aquí, criminal!

—Se lo juro. Por ésta.

Varias personas comienzan a acercarse para presenciar la discusión. Algunos son vecinos del barrio, conocen a la mujer y lo conocen a él. Otros sólo vienen de paso. Se levantan algunos murmullos. *El Vikingo* reconoce palabras como *cadáver*, *homicidio*, *asesino*. Recuerda entonces cómo, cada vez que aparecía un muertito, los uniformados venían por él y por sus compañeros a los alrededores del Parque Delta para interrogarlos en los separos de la delegación. Recuerda las toallas mojadas estallando contra su piel, los toques eléctricos, los chorros de agua mineral entrando hasta su cerebro. Sus gritos de dolor. Las preguntas burlonas y sus respuestas repetidas hasta el cansancio. Las respuestas que terminaron por ser las únicas palabras que habitan su cerebro. Recuerda también, como entre nieblas, que antes de esos interrogatorios aún sabía quién era. Su nombre. Su pasado. Una oleada de furia y pánico lo atraviesa al distinguir en un cristal cercano los reflejos azules y rojos de la torreta de una patrulla. Los murmullos a su alrededor crecen. El muerto, dicen. Él lo mató. Jala el carrito hacia sí con ímpetu y la mujer lo suelta con un grito.

—¡Ay! ¡Animal! ¡Me rompiste una uña!

Los mirones le abren paso cuando lo ven caminar hacia ellos, mientras la mujer corre en dirección de la patrulla. No sé nada, mi jefe. No vi nada. No soy nadie. Dos uniformados descienden del vehículo. *El Vikingo* los mira de reojo y reconoce a los que perseguían a Fernando. Sin detenerse, toma la botella de aguardiente, la destapa y se bebe el chisguete que le queda. El alcohol le sacude el estómago; luego se desparrama por su cuerpo una agradable sensación de calor. Fernando, se llamaba. Ellos gritaron su nombre. Yo no vi nada.

—¡Eh, tú, cabrón! ¡Alto ahí!

Ahora es una voz idéntica a la que gritaba anoche. Incluso ha dicho palabras parecidas. Sólo le faltó gritar el nombre de Fernando. Fernando. Sí. Pero a diferencia del otro, *el Vikingo* no corre: nomás camina. No sé nada, mi jefe. Nunca veo nada. No soy nadie. Recita su letanía mientras escucha las pisadas que se acercan. Piensa que su historia se repite, que de ahí lo llevarán a los separos de la delegación o a cualquier sótano para sacarle la verdad, que le van a cargar un muerto al que ni conocía, como ya lo han hecho otras veces, y que después de unas semanas o de un par de años en el penal lo volverán a echar a la calle donde tendrá que buscar un portón y un carrito de súper para seguir caminando. Qué ganas de fumarme otro cigarro. Pero no hay cerillos. Se lo juro, mi jefe. Por ésta. Cuando las pisadas comienzan a detenerse a su espalda, ya muy cerca de él, en la memoria del *Vikingo* se dibuja el rostro del cadáver de la noche anterior. Yo no sé nada. No soy nadie. Nomás camino. Un paso. Otro. Luego otro más.

2

El cómico que no sonreía

por *F. G. Haghenbeck*

CONDESA

Escuché el nombre de Andrea Rojas el mismo día en que conocí a Cantinflas. Era agradable, inteligente y con fino sentido del humor. Cantinflas no. Él era como el resto de las estrellas de Cinelandia: simplemente una estrella.

Mientras que el presidente Lyndon B. Johnson estaba dispuesto a mandar un ser humano a la Luna, yo había decidido permanecer un par de meses en la ciudad de México. Deseaba hacer lo típico: ir a una función de lucha libre; apostar al toro en una corrida en la Plaza México; tomar una botella de tequila en la cantina Tenampa, y disfrutar una *Banana Split* en la nevería Roxy. También hacer lo no típico: cuidar a mamá mientras se recuperaba de una operación médica. Su convalecencia me había sacado de aquella semivida como sabueso *beatnik* en Venice Beach. No me importó. Siempre es agradable pasar un tiempo en el sitio donde nací. Pero poco, pues la ciudad es una amante traicionera. Los que la aman y habitan sólo reciben dolor.

Sabiendo que andaba por esos rumbos, mi antiguo jefe me había recomendado para hacer un trabajo local. Desde que se retiró repartía trabajos, como Santa Claus. Supuse que ese año me había portado bien: me trajo a Cantinflas.

La cita fue en las afueras de la ciudad, en un lujoso fraccionamiento llamado Jardines del Pedregal de San Ángel, enclavado entre roca volcánica de alguna erupción tan antigua como mi Ford Woody. La casa era una chulada. Parecía un enorme sándwich de concreto con grandes ventanales, y muebles tan austeros, seguramente diseñados por daneses. La vista era gloriosa: entre un jardín de cactus se veían los volcanes nevados a lo lejos.

Me hicieron pasar a la sala de estar. Supongo que ese lugar tendría mejores aspiraciones que sólo *estar.* Podría ser cancha de futbol o estado de la República. En ella había un par de muebles colocados tan espaciadamente que sería necesario tomar tranvía para moverse entre ellos. Yo permanecía sentado en uno, al lado de varios trofeos. Después de leer en una estatua dorada que Fortino Mario Alfonso Moreno Reyes "Cantinflas" era el ganador del Globo de Oro, comencé a aburrirme. Una voz hizo que olvidara mi decisión de salir huyendo.

—Me dijeron que es bueno. Me gustaría tener referencias, señor Sunny Pascal —se escuchó desde una puerta, a una distancia un poco menor que un país europeo. De la puerta emergió el cómico. Me encontraba frente al actor más exitoso de México. No era más alto que yo. Eso era algo. (En Los Ángeles me consideraban el enano perdido de Blanca Nieves.) Él vestía un ruidoso saco de gamuza color vino tinto. Playera blanca con cuello de tortuga y unas gafas oscuras del tamaño de un parabrisas de auto. Caminaba con lentitud. Pulcramente. A medida que se acercaba a mí noté que tenía unos cincuenta y tantos años, pero que una reciente cirugía estética lo hacía verse de cuarenta y tantos. Aún portaba algunas vendas. En su rostro estirado había una ligera textura a dinero: dólares gringos.

—Yo sé que ha ganado premios, pero eso no me confirma que sea usted actor —respondí. Mi insolencia era gratuita. Él no me la cobraría. Hubo una pausa. Tan larga como un silencio entre dos amantes en película francesa.

—Supongo que cobra en dólares —me acribilló, sentándose en uno de los muebles daneses. En Dinamarca destaparon el *champagne*. Cantinflas había usado uno de sus diseños.

—Del mismo tipo de los que usted cobró por *La vuelta al mundo en ochenta días* y por *Pepe* —contesté mi última insolencia. No sonrió. Para ser cómico no parecía haber mucho humor en él.

—Esas películas fueron un fracaso. Los gringos no entendieron mi humor de lépero. Aquí en México es donde soy el rey —me explicó, mientras abría una cigarrera de plata para extraer un cigarrillo. Me ofreció uno. Lo rechacé. No deseo ser un cliché andante. Soy el único detective que no fuma—. Yo pago por su silencio. Carmandy me dijo que es de los que cierran el pico. Eso es importante para mi reputación.

—Puede confiar en mí. Inclusive conocí a Doris Day antes de que fuera virgen —le regalé mi mejor sonrisa ingenua. No le arranqué ni un gesto. Era un avaro con el humor. Lo dejaba todo para la cámara.

—He recibido varias cartas. Me piden dinero… mucho. Dicen que tienen información que podría hacerme daño —me explicó mientras fumaba. Me era imposible ver sus ojos detrás de las gafas. Me hacía sentir incómodo.

—¿Y es verdad?

—Eso no es de su incumbencia. Usted sólo sigue órdenes —gruñó. Me levanté. Acomodé mi guayabera negra y viré hacia la salida. Hizo un gesto con la mano para detenerme; entonces volví a sentarme—. Lo siento. Es la costumbre de tratar con las bestias de la policía de esta ciudad.

—¿Exactamente qué desea que haga, señor Moreno? —pregunté en mi mejor pose de oficinista con traje y corbata.

La barba *beatnik* y mis huaraches no me ayudaron a sonar convincente.

—Andrea Rojas. Dele dinero. Dígale que es lo único que pagaré por su silencio. Ya la prensa y la policía me liberaron de cualquier cargo por la muerte de Myriam —refunfuñó. Dijo ese nombre como si hubiera pisado caca de perro. Sus gafas oscuras voltearon a ver mi cara de que no entendí nada—. Myriam Roberts, una modelo estadounidense. Ella se suicidó en el hotel Alfer hace un par de años. Dejó una carta de despedida para mí.

Cantinflas sacó un pedazo de papel de su saco y me lo entregó. Era una nota sencilla. Escrita con fina letra femenina. Podría ser una carta de amor o la lista del mandado. Se leía claramente:

> Querido Mario:
>
> Por favor, olvídame. Tú nunca me pudiste comprender, no puedo entender este lugar. Sé bueno con Mario. Tú has sido bueno conmigo pero no me puedes dar tu amor, porque yo realmente te he querido. Estoy segura de que serás bueno con nuestro hijo.

Al terminar de leerla, se la devolví. La dobló con cuidado y la introdujo de nuevo en la bolsa de su saco. La que estaba a la altura del corazón.

—¿Me va a platicar la versión completa o la condensada para el *Selecciones del Reader's Digest*? —cuestioné. El cómico alzó los hombros.

—La policía me interrogó. Yo la conocía desde hace años. El niño se llama Carlos. Lo adopté, es mi hijo ahora. No quiero que sigan jugando con mi familia. Encuentre a Rojas, páguele y encárguese de que nunca vuelva a buscarme.

Apareció en la puerta una secretaria mejor construida que las pirámides de Teotihuacan. Venía enfundada en falda corta, y con tremendo crepé que rozaba el techo. Me entregó un fajo de dólares y una carta, haciendo hincapié en mi silencio.

—Aunque no acepte el trabajo, tendrá que firmar la carta de confidencialidad. No quiero que venda la noticia de mi operación estética a Mike Oliver por tres tequilas, ni ver esta casa rodeada de fotógrafos chupasangre.

—Acepto. No se preocupe. Carmandy tiene razón: calladito me veo más bonito —respondí mientras tomaba los dólares y firmaba su carta. Los mexicanos somos orgullosos. No nos gusta que nos saquen la ropa sucia. Ni siquiera deseamos que el resto del mundo se entere si nos apesta la boca.

A MEDIADOS DE LOS SESENTA, a México lo habían vestido y maquillado para que pareciera una urbe moderna. El presidente López Mateos había construido una *highway* tipo Los Ángeles, a la que le puso el coqueto nombre de Periférico. La ciudad era una delicia de contrastes entre los modernos edificios, las construcciones coloniales y las casas rústicas. Estaba salpicada de cabarés desde lo más fino, como La Fuente o el Terraza Cassino, hasta El Quinto Patio o El Imperio. Así que mi amor por los cocteles podía darse rienda suelta en cualquiera de ellos.

Salí de la casa del cómico con el fajo de billetes y una dirección para hacer la entrega. Escondí la plata en el compartimiento secreto destinado a la Colt. Tan poco humor me había dado sed. La boca me pedía un trago aunque no fuera mediodía. Manejé mi Ford Woody por calles con nombres robados de una poesía de Walt Whitman: Roca, Agua, Fuentes, Lluvia, Brisa o Nubes. Estaba componiendo en mi mente un poema cuando noté que un enorme Lincoln Continental color azul cobalto me seguía. Era tan imponente como un barco pirata. Cuando el auto me cerró el paso, haciendo que me detuviera, y del interior salió un tipo moreno que parecía la versión portátil de King Kong, supuse que no estaba tan errado: a los piratas y a la policía mexicana tan sólo los separa un par siglos.

—¿Quién chingaos te crees para meter tus narices, pendejo? —al bajar escupió sobre el parabrisas. King Kong *junior* usaba una corbata tan ancha que podía cubrir su auto. Era color rosa y aún descansaban en ella rastros de su desayuno. El traje era un par de tallas más pequeño. Lo que más me desagradó fue su olor a ajo.

—Hace mucho que dejé de creerme cualquier cosa, compadre —respondí con calma. Fue un error. Eso lo supe cuando vi entrar su puño por la ventana, cual ariete medieval. Prácticamente, el golpe me expulsó del auto. Esa noche me costaría trabajo respirar por la nariz.

El amigo gorila me recetó dos golpes más. Al tenerme en el suelo, logró dejarme dos patadas en el estómago, que todavía guardo. Cuando hubo suficiente sangre en el pavimento, me revisó los bolsillos.

—¿Quién te llamó, cabrón? ¿Fue esa hija de puta de Rojas, verdad? —continuó preguntando mientras leía mis documentos. Se tardó. Supongo que no había logrado terminar la primaria. Me los aventó con un gruñido—: ¡Un detective maricón gringo! ¡Sólo eso faltaba!

De dos zancadas entró a mi auto. Revisó lo que había en él. Logré ver cómo volaba mi disco de los Castro, un brasier del que aún no lograba recordar a su propietaria, y una botella de tequila vacía.

—¿Dónde está el dinero? —me preguntó. Para que yo entendiera bien, lo recalcó con una patada.

—En la cartera traigo tres dólares y veinte pesos… —balbuceé.

El gorila se agachó hasta que casi se encontraron nuestros rostros. Si yo hubiera sido un tipo romántico, habría logrado besarlo. Pero no era del tipo que me gustan: rubias y caderonas.

—Si me chingas, te mato. ¿Entendiste, gringuito?

—Soy mexicano... —logré decir. No me escuchó. Tomó los dólares y se largó. Pasó mucho tiempo antes de que yo lograra levantarme. No uso reloj, por lo que tuve que confiar en mi vejiga. Cuando las ganas de orinar fueron mayores que el dolor, me incorporé. La calle permanecía vacía. Tan sólo pude ver los grandes portones de las mansiones. Abrí la bragueta y me dispuse a descargar la vejiga. No había comenzado aún, cuando escuché un auto patrulla sonar su sirena. Nunca están cuando los necesitas. Me multaron por faltas a la moral.

ME RECOBRÉ CON CINCO TEQUILAS. Quizás fueron más. Dormí dos días seguidos, y cuando me aburrí de los programas de concursos en la televisión, regresé a trabajar. Tomé la dirección que me entregó la secretaria. Era en la colonia Condesa. A sólo unos pasos de la nevería Roxy. Decidí comer ese helado que tanto anhelé y conocer a la tal Andrea Rojas. Conduje hasta un edificio de departamentos. Se encontraba frente a un hermoso parque con grandes árboles y un estanque de patos. A sus alrededores paseaban madres judías ortodoxas arrastrando carritos de bebés, y españoles republicanos, quienes fumaban olorosos puros y pensaban en matar a Franco. Era una isla entre el caos de la ciudad. Un respiro entre los emigrados.

A un lado del acceso a la propiedad había un taller de bicicletas. También rentaban esos instrumentos que sólo dejaban heridas y lloriqueos. El encargado leía su periódico *La Prensa* mientras comía unos tamales.

—Buenas tardes. ¿Cómo va el día? —pregunté cual si no tuviera nada mejor que hacer que simplemente preguntar.

—Malo, pero ahorita que salgan de clases se compone —respondió el mecánico sin dejar de consumir su sagrado almuerzo. En la ciudad de México se respeta ciegamente la hora de comer. Incluso si hubiera una guerra de misiles soviéticos y americanos, todos saldrían a comer algo grasoso y picante.

—Ando buscando a una amiga. Vive en el edificio. Quizás la conoce: Andrea Rojas —le solté el buscapiés. Sin dejar de masticar su tamal, contestó:

—¿La señorita Rojas? Vive en el 202. Está durmiendo.

—Debió de ser una noche agitada. Alcohol, fiesta.

El hombre abrió los ojos del tamaño de una tortilla. Soltó una carcajada:

—¡Ni tiempo tiene para eso! ¿Qué no ve que estudia en la Uni y trabaja? Se la pasó dibujando su tarea toda la noche. Le fui a comprar su cena para que no perdiera el tiempo.

Mi cara de idiota fue más que obvia. El buscapiés reventó sobre mí.

—Creo que no la voy a despertar —me despedí. El mecánico continuó comiendo.

Yo compré mi helado. Era de pistache. Hice guardia sentado en una de las bancas del parque. Andrea Rojas apareció un par de horas después, cuando ya una bola de escuincles había rentado bicicletas y se entretenía dejando pedazos de rodillas en el pavimento.

Salió del edificio y saludó al mecánico. Éste le dijo algo mientras me señalaba. Andrea Rojas volteó hacia mí. Pude observarla mejor. Resultaba un placer verla. Su pelo era negro, muy oscuro. La piel apiñonada hacía resaltar sus enormes ojos. Cuerpo fino, pero firme. Cada curva estaba donde debía estar. Toda enfundada en traje de minifalda y mallones negros. Llevaba una boina ligeramente girada a la izquierda. Era una hermosa diosa "en onda".

—No recuerdo tenerte como amigo. Tampoco eres policía. Estás muy zotaco y muy zarrapastroso. ¿Quién eres? —me interrogó inclinándose con las manos en las caderas. Pensé en responderle de inmediato, pero me tomé algún tiempo para disfrutarla.

—Soy amigo de un amigo.

—Ese amigo de ambos, ¿tiene nombre, o sus padres no tuvieron dinero para el bautizo? —dictó. Su lengua era rápida. Un hueso duro de roer.

—Moreno. Algunos le dicen Mario. Otro no.

Sus profundos ojos negros se clavaron como cuchillos en mí. Maldijo en un murmullo. Se dio media vuelta y me dijo:

—¡Dile que no esté chingando!

Me paré de la banca para seguirla. Tuve que apresurar el paso; era rápida.

—Es curioso que digas eso. Él dice exactamente lo mismo de ti.

Andrea Rojas se volteó con gesto de disgusto. Alzó los hombros y comenzó a gritarme:

—¡Ya le dije que no soy yo! No he mandado ninguna nota a… —antes de que continuara regañándome, descubrí que el Lincoln color cobalto pasaba a un lado de nosotros. Iba muy de prisa como para que la pistola pudiera apuntarnos. Con un rápido movimiento tiré al piso a la muchacha. Las balas pasaron a sólo una cabeza de nosotros. Para cuando me incorporé, el auto azul había desaparecido. Andrea permanecía en el suelo. Me gustó que no llorara. Me atraen las mujeres duras.

—Necesitamos hablar. Y no tienes idea de cuánto necesito un trago.

—Cabrón, yo necesito dos —expresó con la cara blanca como fantasma, mientras se incorporaba. Al oírla decir eso, estuve a punto de pedirle matrimonio.

Caminamos varias cuadras, internándonos al nuevo lugar de moda donde bares, restaurantes y tiendas se aglomeraban para capturar a algún incauto turista: la Zona Rosa. Ahí, siguiendo mi olfato de sabueso de cocteles, nos metimos a un bar tiki, el Mauna Loa. Yo le platiqué quién era, qué hacía, y mi vida. Eso me tomó unos veinte minutos. Cuando fue el turno de ella, habló por más de dos horas. No me importó. Un mai tai acompañado de esos ojos negros era lo más cercano al paraíso.

Me explicó que estudiaba arquitectura en la Universidad. En sus tiempos libres trabajaba como niñera y se juntaba con un comité de estudiantes, quienes hablaban de política, fumaban droga y arreglaban el país con sus ideales. Ahí conoció a su novio. Sus padres murieron. Y su único pariente era un tío que trabajaba en Guatemala. Era independiente, excitante y hermosa. Me había sacado el "premio mayor".

—... Los jóvenes debemos juntarnos. El futuro está en nuestras manos —me dijo sobreexcitada.

—No veo cómo puedo cambiar el mundo. Necesitaría ser Superman y ponerme la capa para hacer justicia. Mientras no tenga superfuerza y no pueda volar, prefiero quedarme con los que sobreviven —admití. Era filosofía de tercera. Pero era mía, y no se la prestaba a nadie.

—¡Quizás eso deberías ser! Un superhéroe, y rescatar a los necesitados, no trabajar para los opresores —me gruñó. Enojada se veía más atractiva.

—¿Como tu antiguo jefe, el señor Moreno? ¿Por eso lo chantajeas? —le disparé duro. No necesitaba tanta crueldad, pero tenía que ganarme mi salario.

—Él sólo me contrató para cuidar a su hijo. Estaba casado con otra señora; por eso no sabía qué hacer. Lo ayudé con el niño después del suicidio —me narró sin darle importancia.

—¿Entonces no hubo ninguna relación extraoficial? Es alguien famoso.

—¿Crees que estuve involucrada con el señor Moreno? ¡Eres un pervertido! —se burló de mí. Mi caso se desmoronaba. No era una chantajista—. Él pagó el entierro y la capilla ardiente después de que la señora Myriam murió. No sé si la amaba o no, pero cumplió su promesa de cuidar al niño sin que le afectara el escándalo a su esposa. Aún así, la policía siempre trató de inculparlo.

—¿Policía?

—Sí, los tipos malos que usan placas, pistolas, y tienen cara de perros. Si no los conoces, con gusto te presento a uno —respondió con una sonrisa pícara. Tomó un poco de su bebida para dejarse contemplar. Ella sabía que me tenía en sus redes—. ¿Y tú? ¿Andas con una mujer?

—Bueno, no que yo sepa —balbuceé, desconcertado por la pregunta.

—¿Con un hombre? —me volvió a disparar. Se estaba vengando.

—Tampoco. Ni siquiera con un animal, vegetal o mineral. ¿Y tu novio?

—Tiempo pasado. Era estudiante de filosofía y letras. Amaba más la causa social que a mí. Por eso lo dejé.

—Vaya, un Superman verdadero. ¿Usaba el viejo truco de las gafas para pasar por niño bobo? Ese truco lo puedo hacer yo sin lentes.

No respondió. Hizo una mueca mitad sonrisa, mitad disgusto.

—No soy quien mandó las notas al señor Moreno. Mucho gusto. Debo regresar a casa, Pancho Villa no ha comido —me dijo al colocarse su boina.

—El del coche azul puede estar esperándote. No sería bueno para tu salud —le expliqué. Eso no la detuvo. Era roca pura.

—Algún día tendré que regresar. Si desean hacerme algo, no podré evitarlo.

—Déjame que te acompañe. Podría ser tu héroe… —murmuré mientras soltaba un par de billetes para cubrir la cuenta. Y la seguí hacia la salida—. ¿Pancho Villa?

—Mi gato negro —respondió con voz de colegiala. Me derretí.

Para cuando llegamos a su edificio, los niños que rentaron las bicicletas seguramente estaban en terapia intensiva, o peor, bebiendo chocolate en sus casas. La noche daba un nuevo toque a la colonia, refrescándola con murmullos de familias alrededor del televisor. El mecánico aún permanecía en su local. Había cambiado el tamal por una botella de cerveza, unos tacos y un compadre.

Nos saludó al vernos pasar. Mientras Andrea rebuscaba en su bolsa la llave de acceso, pude ver a un enorme gato negro maullando desde el alféizar de la ventana. Supuse que se trataba del mismísimo general Villa. Le sonreí.

Cuando Andrea abrió la puerta de entrada al edificio, mi nariz saltó. Un fuerte aroma a ajo me electrizó. Reconocí el olor. Sabía que lo portaba un orangután con corbata ancha. Cuando traté de detener a Andrea, King Kong *junior* salió de un rincón, arma en mano. Pasó su brazo alrededor del cuello de la chica, como una serpiente. Me dije varias maldiciones por dejar la Colt en el coche.

—¡Te dije que no te metieras en esto, gringuito! —gruñó el tipo. Andrea permanecía tranquila. Ni siquiera forcejeaba. Sabía que ese hombre no dudaría en dispararle.

—Sé que te dio el dinero para ella. Yo armé este negocio. Ella ni vela en el entierro. No debiste meterte, cabrón —explicó molesto. Andrea no parecía sorprendida.

—… Eres el policía que llevó el caso de la señora Myriam —le dijo ella. El gorila se movió molesto sin soltarla. Por un instante pareció pasmado al ser descubierto. Luego regresó a lo que sabía hacer bien: ser un cabrón.

—¡Tú, cállate, pinche vieja!... Órale, saca la lana —escupió. Alcé las manos. Me encontraba en el umbral de la puerta del edificio.

—Está en mi coche...

—¡No me mientas, o la mato! —gritó. Alcé más las manos.

—Está escondida donde guardo mi pistola. Por eso no lo encontraste la otra vez —tuve que explicarle. Volteó a ver a Andrea. Ella, como roca, clavaba sus ojos negros en él por haberla involucrado en algo sucio. El policía se dirigió a mí mientras se acercaba.

—Vamos. Sin pendejadas.

Salimos a la calle. Caminé despacio. El mecánico de bicicletas y su compadre seguían la fiesta. Si lográbamos llegar al auto, seguramente al agarrar el dinero nos mataría a ambos. Pensé en ocupar un instrumento igual de mortal que mi pistola. Tomé una de las bicicletas y se la arrojé con todas mis fuerzas a King Kong *junior*. Él no esperaba algo así. Soltó a Andrea para disparar hacia la bicicleta. Cuando ésta golpeó su mano, y la torció hacia él, seguía con el dedo en el gatillo. La última bala cruzó su ojo. Como en el cine, el gorila cayó sobre la banqueta, muerto. No hubo rubia que le llorara. El mecánico se levantó. Se acercó a él y nos dijo:

—¡Qué madrazo!

—ES ENDEMONIADAMENTE BUENO —admití. La copa fue a mis labios. Sorbí del coctel margarita y lo devolví a su hielera de plata. Miré alrededor. El lugar era hermoso. Estábamos en el patio de una hacienda colonial donde el sonido de los pájaros y el murmullo de una fuente nos arrullaba. Un mesero, tan pulcro como un obstetra, servía las copas. Cantinflas tenía su propio empleado cerca. El recién abierto restaurante San Ángel Inn parecía ser el lugar de moda. Todos sus comensales trabajaban en cine, radio, televisión, política o escándalos sexuales.

Del bolsillo de mi pantalón saqué el bulto de dólares. Lo coloqué en la mesa, a un lado de mi coctel. El señor Moreno miró los billetes por un segundo. Desaparecieron en su saco color mostaza.

—Tomé mis honorarios del dinero. Espero que no haya problema con eso —le expliqué sin dejar de beber el maravilloso elíxir.

—Así que puede prometer que nunca más me van a molestar con ese chantaje. Me sorprende que no necesitara el dinero… —me dijo seriamente el cómico, quien se había despojado de todo rastro de su operación, para aparecer en público.

—Se lo aseguro. Eso ya no es problema para usted. Le recomiendo que se busque uno nuevo —expliqué bebiendo toda mi margarita. Era un hecho, el San Ángel Inn es el mejor lugar para beber un trago.

—¿Cómo puedo saber que me dice la verdad, señor Pascal?

—De la misma manera en que yo pensé que usted me decía la verdad cuando me contrató. Esa vez, usted me mintió —respondí. Me acerqué a él. No se movió. Descansaba en su equipal con las piernas cruzadas—. Nunca me dijo que ya había contratado a un ex policía para pagar el chantaje, ni que cuando pidieron más dinero, lo despidió, pues deseaba que terminara todo de una vez por todas. Tampoco me dijo que éste era el mismo policía que lo interrogó por el suicidio.

Esperé una reacción de la estrella de cine. Merecía su Globo de Oro. Ni siquiera levantó la ceja.

—Le debo una disculpa —murmuró como quien tropieza por error. Moví la cabeza asqueado. Me levanté. Un mesero me mostró la cuenta de las margaritas que bebí. Le pasé el papel al famoso cómico.

—Mi salario no incluye gastos —gruñí. El telón había caído. Yo ya estorbaba en ese lugar. Traté de irme de la terraza, pero no pude. Regresé para indagar la verdad—. Me pregunto si usted sabía que ese policía era el mismo que lo chantajeaba en nombre de Andrea. Quizás no me llamó para pagar el chantaje, sino para protegerla. Temía que él llegara a lastimarla. Deseaba salvarla; que yo le pateara los huevos a ese cabrón y usted ni siquiera saliera despeinado. ¿No fue así?

En ese instante, el actor personificó al personaje de leperito que tanto éxito había tenido en sus películas. Cambió su voz, se movió diferente. Dejó de ser Mario Moreno y se convirtió en Cantinflas para decirme:

—Ahí esta el detalle, chato. Ni yo estoy para contarlo, ni usted para oírlo, pero óigame, que eso sí va a estar en chino saberlo...

Sólo me dejó una gran sonrisa. La única que me regaló.

Afuera me esperaba Andrea Rojas. Miraba la construcción de la esquina: un intento de fábrica polaca convertida en casa habitación. La habían pintado con chocantes colores azul, amarillo y rojo. Al verme, se volvió para explicar:

—Aquí vivían Diego Rivera y Frida Kahlo. Cada uno tenía su propia casa, pero él mandó construir un puente para cruzar al cuarto de ella, pues vivía del otro lado. ¿No se te hace romántico?

—Yo hubiera hecho la cama más grande. Era una solución más barata —opiné atontado por las margaritas. Andrea me miró. Me hundí en sus ojos negros.

—¿Qué haces allá? Ellos no nos quieren. Creen que somos basura. Deberías volver a tu ciudad. El país está cambiando.

Juntos podemos hacer cosas. Devolverle la justicia a nuestro pueblo. ¿Por qué tienes que regresar?

En ese momento encontré más de un millón de respuestas coherentes. En casi todas le daba la razón. Por algún extraño motivo no dije ninguna. Me limité a sujetar su cara para plantarle un largo y húmedo beso. Me correspondió por un segundo. Durante éste, sentí que estaba en el cielo. Luego me apartó.

Movió la cabeza, molesta. No me entendía. Yo tampoco me entiendo. Me dio la espalda y comenzó a alejarse calle abajo. Fue la última vez que la vi. Años después me dirían que estuvo en Tlatelolco, en el 68, cuando el ejército disparó a los estudiantes que se manifestaban. Desapareció esa noche. No pude saber nada sobre su cuerpo. Por eso, en las noches sofocantes, cuando estoy un poco borracho, me pongo a imaginar que logró huir de la matanza y se refugió en Guatemala. Quizás terminó su carrera y tuvo una hija que podría ser una heroína enmascarada luchando por la justicia de nuestro país, como ella soñaba.

Pero sé que eso no puede ser verdad, pues en México las películas terminan sólo en final feliz.

3

Colección privada

por *Bernardo Fernández* Bef

VALLEJO

A las siete de la mañana comenzó a sonar el set de música *jungle* que Lizzy había programado en su iPod para despertarse. Se estiró entre las sábanas de seda negra del futón *king size*.

Como todos los días, lo primero que vio al abrir los ojos fue el cuadro de Julio Galán que colgaba justo en la pared contraria a la de la cabecera, en su departamento de Polanco.

Quince minutos después, Helga, su entrenadora personal, la esperaba en el gimnasio de la recámara contigua con un jugo energético en la mano. Se trataba de una alemana ex finalista olímpica que la acompañaba a todas partes

—*Guten tag* —dijo la rubia. Lizzy respondió con un gruñido.

Lizzy hizo ejercicio aeróbico durante cuarenta minutos y una hora de pesas.

A las nueve, tras una ducha de agua fría, desayunó cereal con yogurt descremado y té verde al tiempo que revisaba su correo en un iPhone. Era la única ocupante del inmenso comedor cuyos ventanales daban hacia el Castillo de Chapultepec. Pancho le llevaba cada uno de los platos desde la cocina, donde los preparaba él mismo.

A las diez de la mañana, en el estacionamiento de sus oficinas en Santa Fe, Lizzy descendió de su auto, un Impala 1970 negro con llamas pintadas en los costados.

Por órdenes suyas, se había recuperado el auto de un taller mecánico de Perros Muertos, Coahuila, y mandado restaurar a Los Ángeles.

Las primeras horas de la mañana las ocupó en atender los asuntos financieros. Harta de las finanzas caóticas que había dejado su difunto padre, se había hecho asesorar por un experto financiero que le sugirió diversificar sus fondos en varios intrumentos de inversión.

Ella adoraba verificar los dividendos de sus cuentas. Le fascinaba saberse más rica cada mañana.

A las doce tomó un refrigerio, fruta fresca, galletas altas en fibra y té. Antes de la comida, a las dos de la tarde, recibió la llamada de uno de sus galeristas en Europa. Pese a que estudió artes en la School of Visual Arts de Toronto, abandonó su carrera creativa para concentrarse en aumentar su colección de arte contemporáneo.

—Lizzy, *darling*, tengo algo que te va a fascinar —dijo su amigo Thierry desde París, con un español gangoso.

—Lo veo difícil, *Tierritas*, la última vez me ofreciste pura basura.

—Te vas a ir de espaldas, *mon amour*. Tengo siete piezas de David Nebrada.

Tras un silencio tenso, Lizzy preguntaba:

—¿Cuánto?

El dinero nunca era problema.

A LAS DOS Y MEDIA entró al salón vip del Blanc des Blancs, sobre Reforma, donde saludó a don Renato, viejo empresario amigo de su papá, quien comía con el secretario del Trabajo.

Los viejos invitaron a Lizzy a sentarse con ellos, propuesta que declinó amablemente. Se despidió y caminó hacia su mesa favorita, al fondo del restaurante.

En el camino se encontró a Marianito Mazo, hijo de un productor de telenovelas, que comía con un par de cantantes pop que gozaban de sus quince minutos de fama. Marianito la saludó de beso, le presentó a las dos chicas ("Éstas son Lola y Dayanara") y la invitó a un coctel que tendría en casa de sus papás, en el Pedregal, el sábado siguiente.

—Creo que andaré de viaje —dijo sonriente Lizzy—; deja verificarlo y mi secretaria confirma con la gente de tu oficina.

Se despidieron con afecto.

Finalmente, Lizzy pudo sentarse.

Pidió una ensalada de arúgula con carpaccio de salmón y vino blanco.

Comió en silencio mientras revisaba sus *mails* en el celular. Aprovechó para chatear con su primo Omar, que trabajaba de DJ en una disco de Ibiza.

—¿*Mademoiselle*? —la interrumpió el *maître*—, el caballero de aquella mesa le manda esta copa.

Levantó la vista hacia donde le señalaban.

Desde el otro lado del restaurante, el secretario particular del procurador general de la República le guiñó un ojo.

POR LA TARDE PIDIÓ A BONNIE, su secretaria, que cancelara todas sus citas para darse un tratamiento de fangoterapia en un spa de Santa Fe, apenas a unas cuadras de su oficina.

—Recuerda que tienes pendiente ir al almacén —observó la gringa con su cerrado acento texano.

—No se me olvida. Voy en la noche —repuso Lizzy.

Se fue caminando al spa, para desconsuelo de Pancho, que no quería que anduviera desprotegida a ninguna hora. Ella siempre lograba escabullirse.

La chica que le aplicaba el lodo sobre la espalda, una francesa recién llegada de Lyon, no pudo evitar decir:

—Tiene usted un *derrièrre* pguecioso. Figme y suave como un melocotón.

—Muchas gracias —dijo Lizzy.

LLEGÓ AL MUSEO TAMAYO a las ocho y media de la noche, a bordo del viejo BMW blindado de su padre, manejado por Pancho. Tras ellos, dos camionetas Windstar repletas de guaruras los escoltaban.

Iba vestida totalmente de piel negra, con el cabello recogido en un chongo atravesado por palillos chinos.

Casi se veía hermosa.

—Espérenme afuera. No quiero llamar la atención —ordenó en la puerta del museo.

—Niña… —protestó el guarura con voz cavernosa.

—Obedece.

Pancho ordenó que su equipo de ocho escoltas entrenados en Israel —dos de ellos eran mujeres— se apostaran en puntos estratégicos alrededor del museo. Todo el tiempo, el viejo guarura mantuvo contacto con ellos por radiocomunicador.

Le ponían nervioso los caprichos de la niña, pero le había jurado *al Señor*, su padre, cuidar de ella.

Adentro, ajena a las consideraciones de su guardaespaldas, Lizzy repartía besos entre galeristas, coleccionistas de arte, curadores, críticos y artistas.

Era una celebridad en el ámbito del arte. Todo mundo sabía de su colección y sus gustos peculiares. A más de uno sorprendía los recursos con que contaba. Pocos preguntaban de dónde provenían.

Se inauguraba una retrospectiva del pintor armenio-norteamericano Rabo Karabekian. Ocho de las piezas pertenecían a la colección de Lizzy. Invariablemente pedía que se le diera crédito como *colección privada*. No quería ninguna publicidad.

Tuvo que atravesar una barrera humana para saludar al artista, quien la reconoció a la distancia.

—¡Lizzy, *baby*! —al anciano artista se le iluminó el rostro al ver a su coleccionista favorita.

—*How you doing*, Rab?

Platicaron animados una media hora. Cuando la prensa quiso tomar fotos, Lizzy declinó amablemente.

El pintor le dijo que habría un *after* en el departamento del curador de la exposición, en la Condesa. Que le encantaría que viniera. Ella se disculpó.

—*Got some business to take care of, sorry* —y se despidió de todo mundo.

Camino a su auto; sonó su celular.

—Los tenemos —dijo una voz cavernosa, al otro lado de la línea.

Unos segundos de silencio.

—¿Están contigo?

—Simón, ésa.

—Te voy a lanzar una galletita al hocico, como a Scooby Doo —repuso Lizzy antes de colgar.

Subió al BMW y ordenó que la llevaran al almacén.

Sin preguntar nada, Pancho enfiló hacia la bodega que la MDA, su empresa fantasma, tenía en un parque industrial de Vallejo. No cruzaron palabra durante todo el trayecto.

EL EQUIPO de seguridad del almacén los recibió, sorprendidos por la hora de la visita. Una puerta de acero se deslizó pesadamente para dejar pasar al BMW y a las Windstar.

El Bwana, lugarteniente de Lizzy en el norte de la ciudad, salió a recibirlos. Era un cholo, ex porro que había aprendido algo de química a su paso por la facultad de ciencias. Un sujeto violento curtido en las calles de East L. A.

En secreto, Lizzy lo hallaba atractivo, fascinada por la belleza salvaje de sus rasgos indígenas y su cuerpo atlético de basquetbolista, generalmente vestido de *jeans* bombachos con el torso desnudo, los pezones perforados por argollas, con tatuajes de la Virgen de Guadalupe y la Santa Muerte reptando por toda la piel.

A veces, en lo profundo de sus sueños, Lizzy se permitía fantasear con el cuerpo musculoso del cholo. Fantasía que se esfumaba apenas se despertaba.

—Dichosos los ojos, ésa —dijo *el Bwana* a manera de saludo en el patio de la nave industrial. Llevaba una escuadra .38 calada en los pantalones y un paliacate verde cubriendo su cabeza rapada.

—Ya quiero terminar con esto. ¿Dónde están?

—*This way* —y se internó en el cuerpo de la bodega. Lizzy lo siguió, dejando fuera a sus escoltas y a los gatilleros que cuidaban del almacén.

El Bwana la guió bodega adentro, por pasillos estrechos retacados de cajas rotuladas con caracteres coreanos. Pancho los siguió, unos metros atrás, con una mochila de lona al hombro que llamó la atención del *Bwana.*

Lizzy había especificado que se diseñaran esos pasillos como un laberinto. Sólo unos cuantos conocían el camino hasta el centro. El arquitecto, un gay solterón que solía pasear a sus perros por la avenida Ámsterdam, había aparecido muerto en la carretera libre a Toluca tiempo después de terminada la obra.

Algo iba platicando el cholo a su jefa, pero a ella le fue imposible entenderlo por la mezcla rapeada de *spanglish* y *slang* fronterizo. Cada que llegaban a una puerta, *el Bwana* tecleaba un código de acceso en las cerraduras electrónicas que protegían los cruces.

Cuando llegaron al centro de la bodega, *el Bwana* tecleó un código diferente. Esta vez, una compuerta se abrió en el suelo, dejando al descubierto una escalinata que conducía a una cámara subterránea, aislada del exterior por una capa de hule espuma de alta densidad, igual que un estudio de grabación.

Al fondo se escuchaban gemidos. Apenas audibles, casi murmullos.

—*Welcome* to asuntos especiales, ésa —dijo *el Bwana.*

Lizzy descendió por los escalones. El sótano estaba oscuro. Se iluminó al tocar un interruptor, revelando la fuente de los gemidos.

Un hombre y una mujer, amarrados con alambre de púas a unas sillas de vinilo y amordazados con cinta canela. Ella tenía un ojo reventado. Estaban cubiertos de sangre seca, con un charco de sus propias excrecencias a sus pies.

—Huelen mal —murmuró Lizzy.

Pancho de inmediato roció los dos cuerpos con un Lysol en aerosol extraído de la mochila de lona. El hombre y la mujer se retorcieron por el ardor del desodorante.

Lizzy se acercó a la chica. Revisó con curiosidad la cuenca vacía.

—¿Dices que venía con él cuando lo levantaron?

—Simón, ésa. Es su colita. *Bad luck.*

La jefa del cártel de Constanza volteó hacia el hombre.

Era Wílmer, el asistente de Iménez, el capo colombiano con el que Lizzy había estado negociando apenas unas semanas antes. La gente del *Bwana* había descubierto que estaban introduciendo anfetaminas brasileñas por su cuenta al territorio nacional.

Mala idea.

Wílmer era el responsable de la operación. Antes, un verdadero cabrón. Ahora, lo que quedaba de él gimoteaba como un cachorro atropellado.

Lizzy pudo ver una lágrima escurrir por su mejilla mugrosa.

—Hundidos en la mierda, todos son iguales.

Dio una patada de aikido en la mandíbula del hombre. Sintió el hueso quebrarse bajo su suela. El golpe lo mandó al suelo. Su aullido hubiera retumbado por el cuarto de no haber estado amordazado.

La chica comenzó a retorcerse, intentado gritar bajo la cinta que sellaba sus labios reventados.

Lizzy le arrancó la mordaza de golpe. Al hacerlo, levantó un buen trozo de piel.

—¡¿Qué dices?!

—Po... por... favor... te... ngo una... hija...

En el suelo, el hombre lloraba. Ella lo volteó bocarriba con la punta de sus botas.

—"Llora como mujer por lo que no pudiste defender como hombre" —citó Lizzy. Enseguida alargó su mano hacia Pancho.

El guarura sacó de la mochila de lona un bat de madera con el logo de los Venados de Mazatlán, atravesado por una docena de clavos de acero de cuatro pulgadas. Un objeto heredado del padre de Lizzy.

—Aquí, las anfetas las movemos nosotros —dijo ella al hombre del suelo—; no me gustan los sudacas metiches. Esto es lo que les pasa a los que se meten en mis nichos de mercado. Considéralo una declaración de guerra.

Avanzó hacia el hombre con el bat en la mano. En silencio, Pancho agradeció ser tuerto y tener el ojo malo desviado hacia ese lado. Discretamente, *el Bwana* volteó hacia la puerta.

Cuando la mujer de la silla vio lo que iba a suceder, comenzó a gritar sin control.

4

La esquina

por *Paco Ignacio Taibo II*

DOCTORES

—Ni creas que me tienes tan contento. ¿Eh? Ni creas. No digas nada, cállate, puto. Ni abras la pinche boca porque te la cierro para siempre... Todo es por tu pinche culpa —las últimas dos palabras no las dijo así, dijo más bien algo como "peshe ulpa", porque tenía la boca llena de sangre. Luego la escupió medio vomitando, medio ahogándose. Y entonces se murió. Tenía que morirse así, a lo pendejo, culpando a cualquiera.

El agente Manterola se acercó al muerto y le quitó las llaves del coche, la cartera y unos lentes de mayatón muy grandes y muy oscuros, que luego, considerando el asunto, tiró al suelo al lado del cadáver. Le agarró la nariz y se la estrujó. Los muertos no dan miedo. Nomás por chingar le quitó un zapato y se lo puso encima de la panza. Al otro muerto ni lo miró; era un muerto pinche y al fin y al cabo él había empezado todo este desmadre.

La nueva culpa era de los pinches alfileres con cabeza de bolita de colores. Los putos pinches culeros alfileres, se decía Manterola. Y no le faltaba razón. La modernidad en la comandancia de delitos urbanos no había dado para más que dos computadoras viejas; pero eso sí, se habían agenciado un inmenso plano del D. F. en el que marcaban con alfileres con cabezas de colores los lugares donde se producía un delito. Rojos para asesinatos, rosa para crímenes sexuales, amarillos para reyertas, verdes para asaltos, azules para secuestros exprés, lilas para asaltos en taxis, naranjas para robos de coches. Y por la oficina había pasado el jefe de jefes y se había espantado al ver que en aquella pinche esquina no cabía un pinche alfiler más.

De manera que cuando llegó a trabajar, con uniforme de velorio, que era el traje gris de siempre, con nuevas manchas de huevos a la mexicana en las solapas y una cinta negra en el brazo, no le sorprendió encontrarse al comandante mirando el mapa y esperándolo. Ni le sorprendió que le dijera:

—Que dice el comandante, o sea yo, que dice el secretario que dice el jefe de gobierno que ni un pinche alfiler más en esa pinche esquina.

Manterola sabía que le iban a cobrar el que no hubiera cuidado a su compañero y lo hubiera dejado pasar por delante en la redada para encontrarse con un loquito con un machete en la mano.

—¿Y qué quiere que haga, jefe?

—Tú dirás. Y lo haces solo; no te voy a dar compañero, porque te los matan. Nomás que lo que vayas a hacer hazlo ya. Silvita te pasa todos los expedientes.

Manterola se quedó mirando el plano con la concentración de un turista japonés en el Louvre ante la *Mona Lisa*.

LA ESQUINA MALDITA, el foco de los focos. El cruce de Doctor Erasmo con Doctor Monteverde en la colonia Doctores, a dos cuadras del Viaducto. Un barrio de clase media baja que en la crisis de los setenta se había depauperizado y lumpenizado orillando a los talleres de reparación de automóviles a convertirse en vendedores de partes automotrices robadas.

No tenía glamour. Era símbolo de tiempos cretinos y desesperados. Nada que ver con las grandes esquinas del crimen como la trasera de la Santa Veracruz en los años cincuenta, el cuadrante de la Soledad, donde el escuadrón de la muerte de los teporochos bebía alcohol industrial hasta fallecer y donde se decía que te quitaban los calcetines sin tocarte los zapatos. Nada que ver con el bordo de Iztapalapa pegadito a Neza donde eran los policías judiciales del Estado de México los que trabajaban el crimen en los años ochenta. Un lugar que hubiera sido el delirio de Leone para hacer un *western*.

Por eso al novelista José Daniel Fierro la llamada del jefe de gobierno de la ciudad de México no acababa de gustarle por inusitada que fuera, y que conste que lo único que le gustaba últimamente era lo inusitado.

—Fierro, ¿qué se podría hacer con la peor esquina del D. F., la más peligrosa, donde suceden más crímenes?

—Regálasela a Los Ángeles. ¿No tenemos un hermanamiento de ciudades o algo así? Además en Hollywood les va a encantar.

Escuchó una risita al otro lado del teléfono. José Daniel probó con otras proposiciones:

—Vete a vivir allí; renta un departamento. Con tu escolta los espantas y mandas a los criminales a la esquina siguiente… Manda a todos los policías de esa zona de vacaciones a Acapulco; verás como desciende la criminalidad.

La risita fue más breve.

—Hablo en serio —le dijo el jefe de gobierno—. José Daniel conocía a Germán Núñez años atrás cuando, en los negros tiempos del PRI los habían apaleado en una manifestación. A él le habían roto la ceja derecha de un macanazo; a

Germán le habían dado una patada en los cojones que lo tuvo en cama una semana aguantando las bromas de sus amigos.

—¿Por eso llamas a un novelista?

—Por eso. Un novelista de novelas policiacas. Te mando un *dossier* con un motociclista. Te va a encantar la historia.

José Daniel Fierro novelista y Vicente Manterola policía judicial analizaron la esquina maldita durante las siguientes horas por las razones anteriormente contadas. No poseían los mismos materiales. Fierro revisaba un estudio que tenía un apéndice estadístico. Manterola, una pila de expedientes que iban en el tiempo atrás un par de años. Quizá porque eran notablemente diversos, venían de ciudades diferentes, de pasados confrontados, de historias personales distintas y dispares, llegaron a conclusiones desiguales.

—Si me chingo a dos bandas de robacoches, le bajo los pinches alfileres de robos a la mitad, fácil, y de pasada a la de asaltos, porque cuando no tienen coches qué robar le hacen a eso, y de pasada le bajo a los alfileres amarillos, porque se pelean entre ellos —le dijo en voz bajita Manterola al jefe de grupo Ezcurdia, que lo miró sin amor, porque una de las bandas le daba una corta feria para hacerse invisible, y por tanto, le respondió:

—Si te chingas a una, yo le digo a la otra que se vayan a robar a otro lado, que se pasen unos meses chingándose carros en Toluca; no quiero pedos con el jefe de gobierno.

—Vamos a hacer un festival en esa esquina, un festival cultural —le dijo José Daniel al jefe de gobierno.

—¿Quieres carne, mi rey?

—Si quiero carne voy al súper, pendeja —y usó el femenino como una concesión al travestido que seguro debía llamarse Manolo o Luis Jorge o Samuel Eduardo, porque ahora, por culpa de las pinches telenovelas venezolanas, estaba de moda ponerle dos nombres al niño. No tenía mala estampa el güey; muy buena pierna y mejor nalga, y seguro que si se lo encontraba más en lo oscurito le hubiera dado un quien vive.

Manterola sabía que más de un compañero suyo le daba gusto a los travestis, y siempre con el rollo machista de quién se cogía a quién. Si tú te los enchufabas, no había mariconería en el asunto. El puto era el otro. Válgame dios, qué pendejos podían ser sus compañeros. Como aquel que decía que el asunto le daba mucho asco, pero que "se lo pedía el cuerpo" de vez en cuando.

Oscurecía. Manterola, tras espantar al mariposo, se depositó, apoyándose en un poste de la luz en la esquina de Doctor Erasmo con Doctor Monteverde, justo enfrente de una tienda de abarrotes llamada La Flor de Gijón, que mandaba su luz de neón hacia fuera a través de las moscas. Contempló un rato el movimiento: sirvientas que compraban pan, dos niños que venían por refrescos con una bolsa de plástico inmensa que cargaban a medias. Un cabrón con cara de cabrón que entró por cigarrillos. Un güey que en lo oscurito no se distinguía claramente, cubano o jarocho, y que venía desentonando una cumbia, y que a güevo se compró un *six pack* de cervezas. Adentro atendía un viejo que parecía haber fundado la tienda en la primera expedición de Cortés. Tras haberse hecho el panorama, Manterola entró a la tienda.

—Buenas noches.

—Joder, es la primera vez en mi vida que un policía me da las buenas noches —dijo el viejo gachupín con una sonrisa desdentada.

—¿Cuántas veces lo han asaltado a usted?

—Hasta hora ninguna —informó el viejo, dejando claro que nada bueno se podía esperar de un policía judicial.

—Y usted está en la esquina más peligrosa del D. F. —dijo Manterola—. ¿Cómo es eso?

—¿Usted también viene con esa historia?

—¿Quién más?

—Un señor que es escritor.

"Va a ver un rollo cultural allí en tu esquina. Algo que organizan, una fiesta, un festival, pero del gobierno. Tienes que hablar con un señor apellidado Mechupas", decía una nota garabateada en un *postit* sobre su escritorio. Manterola se llevó las manos a la cabeza sólo para descubrir que el pelo le sudaba. Nunca había oído hablar de eso.

Ordenó los expedientes que le interesaban y puso encima la ficha policial de Fermín Huerta. Ése era el bueno, *el Mandarín*. Ése era su San Pedro pa'l pinche cielo. ¿Y qué chingaos era eso de una fiesta?

Mechupas, obviamente, resultó ser el novelista José Daniel Fierro.

—Pues mi estimado agente, si no le gusta, le puede usted llamar al jefe de gobierno de la ciudad de México —y pasándole una tarjetita toda manoseada, remató—: Ahí tiene usted su teléfono.

Manterola ojeó la tarjeta del jefe de jefes y leyó la escueta nota: "Te envío lo que quedamos, Germán". Luego revisó de nuevo al novelista. Era grande y con bigote villista; a lo mejor iba en serio. José Daniel, que sabía mucho de personajes torvos, vio la duda crecer en los ojos pequeños del policía. "A ver si este güey aprende a respetar a los que no traemos corbata", se dijo. "A ver si aprendo a respetar a los que andan sin corbata" —se dijo a su vez Manterola—, "aunque sean unos pendejos redomados".

—¿Y entonces?

—Pues que vamos a hacer un festival y mientras lo hacemos usted no va a detener a nadie, ni hacer redadas, ni insultar a nadie, ni andar aventando tiros, ni molestar a nadie, ni cogerse a nadie en esa esquina, que me han dicho que estaba a su cargo.

—Señor Fierro, tenemos una operación importante en puerta —dijo Manterola muy ceremonioso.

—Pues se la meten en el culo —dijo Fierro, al que los policías judiciales no le simpatizaban lo más mínimo y que estaba caliente porque Manterola se había presentado en su vida preguntando que qué mamada era ésa de hacer una fiesta en su esquina.

—Y ¿cuál es mi papel entonces?

—Colaborar conmigo. Y si tiene dudas, pues márquele al jefe de gobierno o a su jefe, o al jefe de su jefe —dijo Fierro, encendiendo uno de sus Delicados con filtro y sonriendo.

Manterola se rindió temporalmente.

—¿Qué quiere que haga?

—Que me ayude a encontrar al *Mandarín* —dijo Fierro, que había hecho correctamente su tarea.

LE DECÍAN *EL MANDARÍN*, no porque fuera chino sino porque se pintaba en el pelo un mechón de rojo y parecía una mandarina pelada. Y era en más de un sentido un buen pequeño mandarín. Sabía que no era un ladrón de autos, sino uno de los subgerentes de la sección de adquisiciones de una floreciente e inmensa empresa que contaba con decenas de estacionamientos, media docena de garajes, un centenar de trabajadores, una oficina con varios contadores, una conexión con funcionarios públicos que les daban papeles falsificados en tres estados de la República, un jefe aduanal en Veracruz y otro en Coatzacoalcos, e incluso una reserva en varios cargueros marítimos. Lo suyo no era delito; delito es robarle a las viejitas, madrear a tu jefa, patear a un bebé. Esto era industria. *El Mandarín* sabía que si se pusieran en fila todos los automóviles robados en un año en el Valle de México, la línea llegaría a Cuernavaca, a más de setenta kilómetros de distancia. Era, por tanto, una gran industria.

El Mandarín tenía dieciocho años, era el más viejo de su banda, lo que era una tremenda responsabilidad, y no robaba coches en las tardes de martes y jueves porque estaba estudiando ruso. Había oído cosas: que los Volkswagen se vendían bien en el norte de África porque tenían enfriamiento por aire y no por agua, las camionetas salían bien en Guatemala y los Dodge eran la neta en Europa del Este, y allí todo el mundo hablaba ruso.

En la puerta del instituto se lo encontraron Manterola y José Daniel y no intentó salir corriendo. Otra cosa hubiera sido en el barrio, pero aquí no sabía ni para dónde correr. Se limitó a sonreírles y a decir:

—Ya me llevó la chingada.

"SÓLO SE VUELVE A LA NOCHE cuando pides algo de ella. Yo retorno a la oscuridad para que me cobije de las rutinas perversas de los días, de los desamores…", tecleaba su novela José Daniel Fierro cuando el timbre de la puerta de su casa se quedó pegado. Llegó hasta la puerta renqueando porque se le había quedado dormida la pierna. Eran las cuatro de la madrugada.

Manterola lo midió con una mirada asesina:

—Quieren hacer una charanga o un chimichurri o una chimiganga o sepa su madre cómo se llama, con máscaras de disfraces. Nomás eso faltaba, que anduvieran con máscaras mientras nos bajan la cartera, que todos los culeros tuvieran pretexto para vestirse de luchadores y meternos la verga.

Fierro respiró profundamente y sacó un cigarrillo.

El festival fue uno de los éxitos más grandes de los que se tenga memoria en la colonia Doctores. Años pasarían y se seguiría hablando de lo bien que cantó Tania Libertad, lo buenas que estaban las carnitas, de lo bien que habían leído poesía los chavos y de la conga interminable que había organizado *el Mastuerzo* al grito de "¡Viva Emiliano Zapata!"

No hubo ni el más mínimo roce entre la ley y el orden de los vecinos, que hasta pararon en seco dos broncas conyugales; no dejaron beber cerveza a unos niños, y detuvieron a un ladrón de bicicletas que venía de la Buenos Aires.

José Daniel Fierro terminó la novela que estaba escribiendo con unos últimos capítulos en los que la esquina del festival se volvía protagónica; incluso violando sus sabidurías literarias, dio final al relato con la descripción, que rondaba la cursilería, de un par de adolescentes besándose al atardecer en Doctor Erasmo y Doctor Monteverde.

El agente Vicente Manterola fue detenido en Puebla por violar a un travesti, amigo del gobernador local. Estando detenido, un preso al que no le gustó cómo lo miraba, le sacó un ojo con una lata de refresco recortada.

El Mandarín terminó en el norte de África, manejando un taxi pirata en Casablanca.

La esquina maldita nunca más lo fue después del festival. Los alfileres con cabezas de colores se movieron malévolamente a otras esquinas de la ciudad de México.

El dueño de La Flor de Gijón se jubiló, y como tenía una fortuna ahorrada se fue a vivir a su tierra natal. El día en que salía de México se encontró a José Daniel Fierro en el aeropuerto, pero éste pareció no reconocerlo; estaba muy ocupado comprando cigarrillos en un Duty Free.

Segunda Parte

HOMBRES MUERTOS CAMINANDO

5

¡Bang!

por *Juan Hernández Luna*

ROMA

Estoy de pie frente al caño oscuro de una pistola, la cual es sostenida por un hombre que me observa detenidamente y con gestos nada amigables. Intento moverme pero el hombre hace una seña indicando que no lo haga o de lo contrario habrá de disparar. Obedezco sin dejar de observar el caño oscuro de la pistola.

Hay un precipicio a mi lado. Abajo en la calle se observa un auto estacionado con el motor funcionando y las luces encendidas. No logro distinguir si hay alguien dentro del auto. Permanezco quieto esperando que el hombre me diga lo que debo hacer. No tengo las manos levantadas y eso me preocupa, no demasiado, pero sé que eso no corresponde al guión normal de alguien que es amenazado con una pistola.

Un balazo. Si la bala me entra debo procurar cortar la hemorragia, estabilizar mi presión arterial. Lo más probable es que el maldito proyectil venga sucio, lo cual me provocaría una infección. Herido, derribado de espaldas sobre la azotea de este edificio, sería difícil proteger los tejidos nerviosos de posibles daños, me sería imposible extirpar mis tegumentos insalvables y restaurar los demás.

¡Agggggg! ¡Ciudad de México, qué hermoso cielo tan oscuro tienes! El que va a morir te saluda y mira cada una de tus nubes rojas y huidizas llevadas por el viento del sur.

Diálogos. En este momento tendría que haber un diálogo. Frases amenazantes que digan quién es el que tiene el poder, y a pesar de que hay una pistola que me amenaza, todo indica que soy yo el que tiene el as bajo la manga.

Pienso en "el as bajo la manga" y al instante me arrepiento. Uno no debería decir frases trilladas, ni siquiera en la vida real.

El hombre permanece frente a mí. No tengo idea de cuánto tiempo ha transcurrido; entonces decido buscar otro archivo en mi memoria y busco el momento en que llegamos hasta este punto.

Recorrido. Mis pasos corren veloces por la calle, hay unas escaleras, es una vecindad totalmente desierta a estas horas, las luces están apagadas, en el patio hay juguetes de niños que permanecen. Subo por la escalera, siento cómo un hombre me persigue. El ruido de mis pasos subiendo, seguidos de otros pasos más pesados que van tras de mí, me mantiene alerta.

Hay gritos. Una anciana se asoma por su ventana y ve mi cara sudorosa. Quiero intentar una broma, decirle algo así como *buuuuuu*, pero los ruidos de los pasos que vienen tras de mí lo impiden y sigo subiendo hacia la azotea.

Y llegamos a la azotea y corro pero no hay hacia dónde más seguir. Volteo y encuentro al tipo con la pistola, quien me dice que me detenga, que es mejor que todo acabe de una vez.

Supongo que es mejor que todo termine, pero veo el caño oscuro de la pistola y lo veo a él y noto su cara picada por la viruela o el acné o alguna de esas malditas enfermedades de la piel. Y entonces mi vista va del caño de la pistola a su cara lastimada.

Reconsidero. Así que no es un acantilado, no es una barranca, no es el planeta del martirio; es el vacío que provoca un edificio de aproximadamente cuatro o cinco pisos.

Desde la azotea se ve el humo de alguna refinería hacia el poniente de la ciudad; a esta hora se puede ver cómo los ángeles de la guarda se marchan a dormir; se miran las luces del Eje Central fundirse con el magma brillante que proviene del aeropuerto; se oyen todos los ruidos de todos los autos mezclarse con el tic tac de los corazones de niños y niñas; se oye una canción de mariachi; se oyen toses y arrumacos; se levanta la luna contra la Torre Mayor; el poniente se llena de sangre; el sur es sólo niebla, y a mí que sólo me da por recordar poemas...

Amiga mía, a la que amo, no envejezcas...

Correr. Correr con todo lo que llevas dentro desde tu infancia.

Es pesado el bulto; la infancia es un fardo demasiado grande para correr mientras se huye de una pistola.

Sonrisa. Las mujeres sonríen de manera torcida. Las mujeres no son sinceras en el reír. Es una mujer que estoy seguro que conozco desde hace muchos años atrás, cuando mis manos eran árbol y planetas. Y entonces supongo que la conozco y he dormido con ella, pero no lo puedo precisar ya que su cabello peinado en salón es deprimente y la veo que me insulta.

Atrás de ella hay un hombre; tiene el rostro lastimado por el acné, o por la viruela o por alguna de esas malditas enfermedades de la piel.

Salgo del cuarto y la mujer me sigue. Creo que desea preguntarme algo.

Un cadáver tarda aproximadamente tres días en descomponer su piel. El interior se llena de gases tóxicos que provocan llagas en el exterior; luego la piel sucumbe, se parte y los gases se liberan. Si el cadáver es expuesto al sol no se requieren más de diez días para que todo acabe, la carne se pudra y el olor se masifique y se disuelva entre la vida. Al final sólo queda el esqueleto y acaso remanentes del hígado, el órgano más fuerte del cuerpo humano, el que más resiste en ser eliminado por la descomposición. Una ironía, si se considera que la muerte hubiera sido provocada por la cirrosis.

Yo no tengo cirrosis, ni siquiera tengo un cuerpo. Soy una materia que flota aquí en esta azotea donde sigo viendo el caño oscuro de una pistola que un hombre me apunta. Al poniente, la mancha extensa y oscura del Bosque de Chapultepec; al sur la huella eterna de mis dudas; al norte la sombra de una mujer rubia que se aleja; al otro norte otra rubia y otro adiós. Regreso mi vista hacia la mancha poniente y vuelvo a encontrarme con el caño oscuro de la pistola.

Días atrás. Dime que no habrás de abandonarme, dice una voz a mis oídos, y la escucho como si fuera la de una sirena subida en el barco de Ulises. Y Ulises, yo, me mantengo firme en el timón, atado con cuerdas y tratando de cruzar el mar sin hacer caso de sus cantos. La sirena se acerca, me abraza, intenta tomar el timón y dirigirme hacia una isla, pero me sobrepongo y el barco continúa el rumbo. De pronto noto que el barco ha dejado de ser tal; ya ni siquiera es un simple tronco navegando en el azul del océano; el barco es una cama, el mar es una habitación y a mi lado está una mujer que susurra a mi oído, y ahí donde debe estar el horizonte aparece una puerta y entonces ésta se rompe de una patada y un hombre entra con una pistola en su mano y me apunta justo a la frente.

La sirena desaparece.

No hay mar en esta vida.

Un escenario de huida debe ser limitado. No se puede andar por el mundo corriendo de un lado a otro; deben existir límites donde alguno de los personajes acepte su agotamiento.

Soy el hombre que sostiene un arma en su mano derecha. Frente a mí, un hombre busca huir pero yo lo detengo y le digo que no haga ningún movimiento extraño o de lo contrario habré de disparar. Mi dedo toca el gatillo del arma y en ese momento totalmente, por completo, de manera absoluta, se me olvida el motivo de mi agresión.

Ya no quiero disparar, no deseo esta arma en mis manos.

Una bala recorre dieciocho mil kilómetros cuarenta y tres metros con cincuenta centímetros por segundo, el equivalente a la velocidad de la mentira, la velocidad de un amor sanguinario y torpe y cruel.

Una bala calibre .45 me destroza aproximadamente veinte centímetros de piel del corazón y me deja un boquete de salida equivalente a tres ausencias, a cuatro despedidas.

Si el vacío no es vacío, si no es barranca ni precipicio, si sólo es la maldita distancia entre cuatro pisos hacia el suelo, ¿existen posibilidades de sobrevivencia?

Movimiento.

¡Alto!

Hay una mujer rubia que buscó mi nombre y mis datos y que me citó en este lugar. Las señales son claras; lo que se llama un *affair*. Y yo que no soy imbécil estaba seguro de que a una rubia semejante se le pilla en la cama cada dos siglos.

Éste era mi siglo.

El hombre con la pistola aparece a mitad del siglo.

La rubia desaparece al agotarse el siglo.

Anacronía.

Cuando se huye se procura no dejar a nadie detrás de la gente que se quiere.

Un caño oscuro. Mismo por donde se viene a la vida, mismo por donde se puede ir.

¿Una tumba se puede considerar un caño oscuro?

¿Una vagina es un caño oscuro?

¿Un pene es un caño oscuro?

Jean Valjean cargando a Mario por los caños oscuros…

El conde de Montecristo huyendo por los caños oscuros…

El estetoscopio llevando la señal de la vida es un caño oscuro...

El bing bang, el maldito hoyo negro, los putos quark son caños oscuros...

Las rubias no son buenas compañeras de aventura.

Las pistolas son mejores amigas de aventuras.

Las mujeres morenas tampoco son buenas amigas de aventuras.

El día no ha sido bueno.

A sus más de setenta años, la señora camina de un lado a otro de la pieza; con ella pasea un gato y ella mira con recelo el lomo del animal. Parece inquieto, casi siempre se pone así por la lluvia; acaso será por eso que a los gatos no les gusta el agua. Pero éste es un gato extraño, casi nunca sale, así que no debería tener miedo de la lluvia; de hecho jamás he visto al gato fuera de la casa. ¿Cómo se llama el gato? El gato tiene un nombre peculiar; su marido lo llama y el gato acude a su regazo, pero hace tiempo que las cosas se le van olvidando. Esa maldita enfermedad que si supiera su nombre la diría pero que obviamente también se le ha olvidado como le ha ocurrido con muchas de las cosas de este mundo, y ella cree que a estas alturas de la vida es mejor ir olvidando cosas, soltando lastre, como un globo que necesita permanecer ligero para soportar los... ¿cómo le llaman? Sí, los últimos reveses de la vida. Dios, si tan sólo supiera qué significa un revés; un revés era una puntada en sus tiempos de chamaca cuando aprendió a coser y a bordar y esas cosas que hacen que una mujer sea más mujer, manualidades como planchar y cocinar a fin de tener contento a un hombre y el hombre lleve el sustento a la casa, pero ahora cuál puede ser el significado en "¿el revés de la vida?"; cómo es posible que la vida tenga un revés, y si tiene un revés debería tener un derecho, pero ella jamás ha tenido un derecho. La vida ha sido difícil, vaya que lo sabe, llegaron a aquel cuarto de vecindad cuarenta años atrás, por mientras, y así se fueron acumulando años y el *mientras* se convirtió en el siempre, y desde entonces ahí se quedaron a vivir, y hubo hijos, claro que sí, tres hijos, dos niños y una niña, todos nacieron muertos, por eso no tuvieron ganas de intentar la cuarta cría, para qué traer muertos a este mundo cuando se supone que a este mundo se viene a dar vida; no, nada de hijos, había que aceptar la soledad y los gatos que su marido llevaba a la casa, algunos de los cuales se habían marchado agotados por la escasa comida y el espacio oloroso a pobreza y grasa. Únicamente aquel gato se había quedado con ellos y desde entonces vivía ahí, escondido bajo los muebles; pero aquella noche el gato parecía nervioso, sería por la lluvia. Ella podía sentir el olor a humedad y también sus músculos se lo recordaban; esa noche llovería, estaba segura, lo mejor sería ir a cerrar la ventana para evitar que el sillón de la sala fuera a mojarse. Caminó, volvió a mirar al animal con el lomo arqueado y corrió las cortinas de la ventana para cerrar las hojas de ésta, y fue cuando miró cómo por las escaleras un hombre subía apresurado; aquello le extrañó, tal vez sería alguien que iría a la azotea por la ropa para evitar que ésta se mojara, pero no, en aquella vecindad los hombres jamás subían a la azotea y menos a recoger la ropa. Sabía que tenía razón cuando vio que tras aquel hombre iba otro, con la misma prisa, llevando en su mano una pistola y algo gritaba, pero ella no lo recuerda, no recuerda las palabras, sabe que son palabras pero no puede diferenciar una de un grito y de un insulto, si le dicen árbol ella piensa lodo. Si le dicen tijera lo relaciona con un día de descanso; entonces prefiere cerrar la ventana y esperar que la lluvia termine y su marido llegue y que la soledad permanezca y el animal, ese animal que se llama silencio o se llama terapia, deje de maullar para así escuchar mejor el interior, a ver si de ahí llega un mejor recuerdo...

La boca de una pistola no es un hoyo simple, se mueve de manera ondulante, tal vez el tipo que sostiene el arma está temblando. Igual y pudiera no ser una pistola sino acaso un arma blanca, pero si es una arma blanca debería brillar, tal vez un arma blanca sea más fácil de esquivar, me aferro a esta posibilidad, al menos el tajo no tiene la rapidez de una bala. ¿O sí? ¿Alguien ha medido la rapidez de un tajo? En todo caso qué es más peligroso, ¿un tajo o una bala? Obvio, todo depende del lugar en que la herida se lleve a cabo. Si el cuchillo hiere la vena femoral... ¿Brillan las armas blancas? Busco en la oscuridad el destello pero no existe, entonces todo es pavura, no hay arma blanca, sólo una pistola.

¡Bang!

Aquí viene.

Me toca. Mi cuerpo se arquea y se sacude por el impacto. Casi de inmediato siento el hervor de la sangre correr entre mi camisa. Todo yo soy una vena adolorida, un canal oscuro, un túnel.

Y entonces por mi túnel llega Jean Valjean cargando a Mario.

Y el conde de Montecristo me sonríe con la estolidez de una roca.

Y una cascada de electrolitos de glóbulos rojos escurre en mis manos.

Y me quedo viendo el vacío de la ciudad enorme.

Con sus torres y sus calles.

Y esas lucecitas.

Y no caigo.

Me sostengo en el borde porque yo tengo el as bajo la manga: los calzones de la rubia en la bolsa de mi saco. Mi gran fetiche como recuerdo de una noche gloriosa en la cama. Tengo también las palabras para decirle al tipo que por mí puede irse a chingar a su puta madre, que cabrones como yo no se mueren todos los días, y entonces sobreviene el giro que permite apenas escuchar el *suussss* de otra bala rozando mi pecho.

Y luego...

Mi vida ha sido grande y jodida.

Benéfica y estúpida.

Maravillosa y absurda.

¿Por qué no dejarla que sea así en su caída?

Cuatro o cinco pisos.

Caída hermosa.

Ese imbécil no verá mi rostro tener miedo.

No verá nada.

Yo soy grande.

¿Hay algo más hermoso que volar durante la muerte?

Yo lo hago.

6

Quema de Judas

por *Eugenio Aguirre*

CALLE TACUBA

La Semana Santa del año 1954 fue especialmente sangrienta. El jueves por la mañana los agentes de la Policía Judicial descubrieron, entre los escombros de una construcción abandonada, allá por el Peñón de los Baños, los cuerpos mutilados de cuatro mujeres que, además de mostrar mordeduras en los senos y en los genitales, habían sido descuartizadas con saña. El presunto homicida, más tarde identificado con el nombre de Goyo Cárdenas, amén de violarlas y profanar sus cadáveres, había utilizado un serrucho para cercenar sus cabezas y desprenderles los brazos y las piernas.

La noticia vespertina, que apareció en las páginas de la nota roja del periódico *El Universal Gráfico*, acompañada de fotografías por demás horripilantes, sembró el terror entre las mujeres de las colonias proletarias de la ciudad de México, sobre todo entre las *mujeres de la vida alegre* que traficaban con su cuerpo en el callejón de Dolores y en las calles del Dos de Abril, quienes intentaron amedrentar a las autoridades con la amenaza, expresada con términos putañeros: "O redoblan los rondines de los *veladores* que cuidan las calles pecaminosas del centro o nos pondremos en huelga de nalgas y a nuestros clientes no les quedará de otra sopa que coger con sus esposas".

—El ambiente se caldea —dijo con voz lúgubre mi padre, don Domitilo Chimal, tan pronto como terminó de leernos la infausta noticia y arrojar el diario sobre la mesa de la cocina donde estábamos reunidos para degustar la merienda.

Nadie, entre mis hermanos y yo, pareció acusar ni el sentido ni la intención de su frase. Sólo nuestra mamacita llevó sus manos al rostro, se puso a temblar como si fuese un títere afectado por el mal de San Vito y echó a correr para encerrarse en su cuarto.

El Viernes Santo las noticias no fueron menos cruentas. Como todos los años, se representaron en el barrio de Iztapalapa los Siete Misterios de la Crucifixión de Jesús, festividad que desde tiempo inmemorial congrega a miles de personas, quienes acuden a dicha conmemoración desde lugares tan alejados como Azcapotzalco y Xochimilco para revivir "en carne propia y en persona —como solía decir mi abuela Eufrásica— la pasión del Señor Dios y todas las chingaderas que le hicieron esos pinches judíos". Sí, como todos los años, sólo que esa vez los compadritos de la Cofradía del Redentor de Milpa Alta, que con todos los atuendos de rigor representaban a centuriones y soldados romanos, se embriagaron antes de tiempo y, con el pretexto de que Poncio Pilatos era un "puto degenerado que andaba metiéndoles mano entre las verijas", la emprendieron a golpes, tajos de espada y lanzazos contra los fariseos desprevenidos, las marías magdalenas que acompañaban al Cristo y la multitud de gentiles que estaban de mirones en el Calvario y no tuvieron tiempo de retirarse.

"Los romanos están bien pedos —escuchamos por la radio la reseña que hacía el locutor Tomás Perrín de la estación XEW, que mamá sintonizaba todas las noches para oír las radionovelas y su programa favorito, *El monje loco*— y reparten puñetazos a diestra y siniestra. Ya le rompieron toda su madre a Poncio Pilatos y ahora, qué barbaridad, están golpeando a Barrabás con sus espadas de palo...”

Después, el locutor, a gritos, para que su voz no fuera opacada por el tronido de los cohetes y los alaridos de la multitud enardecida, continuó narrando cómo los romanos de Milpa Alta tundían a los ladrones Dimas y Gestas, y, de pasada, desgarraban los cachetes del pobre fulano que la hacía de Cristo con las espinas de su corona, mismo que había echado a correr a todo lo que daban sus piernas zambas para refugiarse en la piquera llamada Los Curados de Sansón.

Luego, el locutor gritó: “¡Ay, ya me partieron el hocico y me sacaron el mole!”, y, al parecer, le arrebataron el micrófono porque sólo pudimos escuchar majaderías deshilvanadas, chiflidos y silbatazos que indicaban la presencia de los jenízaros que habían llegado al lugar para calmar la zacapela y remitir a los rijosos a la demarcación de policía.

Todos estábamos exaltados con lo que habíamos oído. Mis hermanos no podían disimular su encabronamiento ante la transgresión cometida por los romanos. Mis hermanas, compungidas y llorosas, cuestionaban la herejía y se hacían cruces por adivinar el castigo que les esperaba entre las llamas del infierno. Solamente nuestro padre sonreía con un rictus harto macabro y dejaba entrever, en el brillo de sus ojos y en su entrecejo fruncido, una decisión largamente meditada que, para nuestra vergüenza y dolor, llevaría a cabo al día siguiente.

—¡Huele a la sangre bendita de la venganza! —dijo con una expresión que hizo tiritar a mi madre; temblorina que él ignoró para, a continuación, ordenar a sus hijos varones—: Vengan conmigo, muchachos. Todavía tenemos mucho trabajo.

Así, sin chistar, lo seguimos hasta un cuartucho que estaba ubicado en un rincón del patio de la casa. Ahí, don Domitilo Chimal tenía instalado un taller destinado a la manufactura de unos monigotes enormes conocidos con el nombre de *judas* que, de acuerdo con nuestras tradiciones, son exhibidos y quemados en las calles de Tacuba, cada Sábado de Gloria.

El taller era un desbarajuste. Tirados por el suelo estaban muchas varas de carrizo, botes que contenían engrudo, periódicos viejos, cartulinas, rollos de papel manila, pliegos de papel picado, serpentinas, latas que contenían pintura de colores chillantes y, apilados contra una pared de piedra, para evitar el peligro de una explosión o un incendio devastador, muchos cohetes y cohetones de diversos tamaños, cuyas mechas estaban cubiertas con las laminillas de aluminio con que se envolvían los chicles que mascaban los niños de la vecindad donde vivíamos.

Suspendidos de unos alambres y unas cuerdas, que atravesaban el cuartucho de lado a lado, mi padre ya había colgado los *judas* enormes que representaban al presidente de la República mexicana, don Miguel Alemán, a varios de sus paniaguados, Ernesto Uruchurto entre ellos, y al odiado jefe de la policía, un tal general Mondragón, que, para alegría y disfrute del populacho, serían quemados al día siguiente. Sin embargo, todavía le faltaban por terminar los *judas* con las efigies de Herodes, el execrable Putifar, Lucifer con sus cuernos y tridente, y la célebre Samaritana que corría fama, en el imaginario popular, de ser más puta que la diva doña María Conesa, *la Gatita Blanca*, que se encueraba en todos los tugurios de la capital, desde el Tívoli hasta Las Catacumbas.

Entramos, y yo me dirigí hacia el tablón, que sostenían unos bancos de carpintería, donde don Domitilo había colocado el armazón de varas de carrizo que correspondía a la Samaritana, con la intención de colocarle su envoltura de papel periódico y aplicarle el engrudo que le daría cuerpo. Empero, mi padre me dio un empujón y, contrariando su habitual compostura, me gritó:

—¡No la toques, muchacho! ¡Ese *judas* yo lo voy a hacer de cabo a rabo! Mejor ayuda a tus hermanos, Chema y Jacinto, a terminar los otros monos que todavía no están listos.

No quise contrariarlo, y aunque su actitud no dejó de causarme sorpresa, de inmediato me aboqué a pintar con un color colorado rabioso el cuerpo inmenso de Lucifer y a sacarle brillo con una estopa empapada con una mezcla de aguarrás y cola.

Trabajamos toda la noche y ya en la madrugada terminamos de colocar los adornos y los cohetes de todos los *judas*, con excepción de la Samaritana, a la que todavía le faltaba cerrarle la panza, unirle las costuras y darle su pintadita.

—Váyanse a dormir, muchachos —musitó mi padre enfrascado en su tarea—. Yo terminaré este mono y ahí los alcanzo.

El sueño me venció tan pronto como puse la cabeza en la almohada. Sólo recuerdo haber soñado con las escenas de una película de vampiros que recién había visto en el Palacio Chino entreveradas con los tenues sollozos y lamentos de una mujer que suplicaba clemencia.

La voz de mi padre, ordenándome que lo acompañara a llevar los *judas* al centro, me hizo despertar. Me vestí en un santiamén y salí a la calle donde él y mis hermanos se afanaban por subir los monos a un carromato de ropavejero que siempre usábamos para transportarlos.

Llegamos a la calle de Tacuba a las diez de la mañana. Ahí, don Domitilo Chimal hizo entrega de los *judas* a un empleado del Departamento Central, quien le pagó su trabajo con unos billetes mugrosos que apenas juntaban cien pesos.

Emprendimos el regreso a casa, mas mi padre nos detuvo con el pretexto de que fuéramos a almorzar unas medianoches al Sidralí que estaba en la esquina de la avenida Madero y la calle de La Palma, para después regresar a ver la quema de los *judas*.

—¡Quiero estar seguro de que hicimos un buen trabajo! —dijo con un tono ufano que no dejó entrever sus verdaderas intenciones.

El almuerzo fue más que suculento porque además de las sabrosas medianoches, mi hermano Chema se agenció unos pambazos de papa y chorizo bañados en salsa de chile piquín que vendía una marchanta afuera del Sidralí, y que nosotros, en especial mi padre, devoramos con deleite.

—Bueno, muchachos —dijo don Domitilo al filo de la una de la tarde—, vámonos a ver la quema, ya deben de haber colgado los *judas* y por nada de este mundo quiero perderme el espectáculo.

La calle de Tacuba estaba atestada de gente que, arrobada y con expectación contenida, miraba a los monigotes que ese sábado iban a ser reventados y que colgaban de unas cuerdas. Nuestro padre se abrió paso a codazos hasta que logró situarse en un lugar desde donde podríamos ver, sin obstáculos, lo que iba a suceder.

Al primero que quemaron fue al *judas* que mostraba la cara risueña del presidente Alemán. Los cohetes adheridos a la periferia de su cuerpo estallaron con un chisporroteo luminoso y alegre que provocó el entusiasmo de los concurrentes, quienes no tardaron en lanzarle gritos e insultos con los que expresaban los rencores acumulados por las arbitrariedades cometidas, en contra del pueblo, durante su mandato.

—¡Para que se te quite lo méndigo, pinche Alemán ladrón! —gritó un obrero que estaba parado junto a nosotros y todos quienes lo rodeaban hicieron coro: "¡Sí, quémate, presidente ladrón, pa' que sepas lo que se siente estar jodido!"

Después, casi en forma simultánea, estallaron los cohetones que llevaba en su interior, se le reventó el estómago, y el monigote quedó destripado. El aplauso de la gente fue unánime y los insultos de un jaez harto subido.

Uno a uno, los *judas* fueron quemados. La gente estaba desbordada de contento. Don Domitilo, aunque taciturno, no podía ocultar el orgullo que sentía al escuchar cómo eran apreciados los monigotes que con tanto esmero había hecho. Llegó, por fin, su turno a la Samaritana y yo vi cómo mi padre palidecía. El *judas* comenzó a quemarse por fuera, igual que los otros, hasta que quedó chamuscado. Luego, estalló su interior y se fragmentó en miles de trozos de papel periódico y cartulina que flotaron sobre la muchedumbre. Sin embargo, esta vez estaban teñidos de rojo y, como pudimos constatar de inmediato, no sólo eran de papel impregnado con una sustancia roja y pegajosa, sino que también, mezclados con ellos, caían pedazos de piel, carne desagarrada, e innumerables huesos humanos.

El horror se instaló entre la concurrencia. Muchos sacudían de sus cabezas y sus hombros los fragmentos ensangrentados. Otros, sobre todo los niños y las mujeres, chillaban mientras corrían desesperados en búsqueda de algún zaguán que les diera protección y abrigo. Sólo mi padre, don Domitilo Chimal, se carcajeaba y lanzaba maldiciones:

—¡Te lo dije, puta Matilde! —gritaba nombrando a nuestra madrecita—. ¡Te lo advertí bien claro cuando supe que te acostabas con Melitón mi compadre, que un día te iba a reventar el alma! ¡Vieja cabrona, cuzca hija de la rechingada!

7

Violeta ya no está

por *Myriam Laurini*

HIPÓDROMO

Casete Voces. Lado A.
16 de julio de 2007

> [Gente mayor muere sola, de muerte natural o asesinada. Esto ocurre con tanta frecuencia en la ciudad de México, que poco a poco vamos perdiendo el asombro. Lo que no deja de asombrarme son las voces ensambladas de los vecinos; no pueden esperar que otro, otra, termine de hablar para decir lo suyo, y hacen muy difícil la transcripción de la cinta.
>
> En forzada síntesis, más o menos lo que se escribe a continuación es lo que dijeron.]

A Violeta no le gustaba hablar ni de su pasado ni de su origen. Ella insinuaba cosas para hacer pensar en una historia distinta. Su historia era una de tantas, de ésas que no tienen nada de raro, ni de emocionante o truculento. Todos los vecinos la conocíamos, nació en esa casa. Violeta formaba parte de nuestra comisión de seguridad de la colonia. Ella, como miembro de la comisión, estaba constantemente alerta; si veía gente extraña, o movimientos fuera de lo normal, llamaba a la policía del sector. La llevaba muy bien con ellos, les daba limonada en verano y café en invierno. Al estar en la comisión hay que estrechar lazos con los del sector, para que nos atiendan correctamente. Si había escándalos en el Parque México llamaba a la policía. Si la delegación permitía que en el parque hubiera música, de ésa que te trepana el cerebro, después de las diez de noche, llamaba a la policía. Violeta nos cuidaba a todos. No sólo de rateros o malvivientes que pudieran afectarnos en lo material, sino también del daño psicológico que provoca el ruido estruendoso en el parque. ¿Qué tiene que ver lo del ruido en el parque con la muerte de Violeta? Tiene que ver con que ella tenía contacto permanente con la policía. A Mikel lo detuvieron y a nosotros nos hicieron unas preguntas que ni siquiera apuntaron en una libreta. Si tiene o tenía familia debe ser lejana. Por lo que sé, a su abuela siendo muy chavita, en épocas de la Revolución, se la trajeron de algún pueblo de Oaxaca. Se embarazó de no se sabe quién y tuvo a Jovita, y Jovita repitió la historia y tuvo a Violeta; las dos nacieron en el D. F. Nunca viajaron a visitar a un pariente y ningún pariente las visitó. Vinieron a vivir aquí, por ahí de 1928. La señorita Micaela ya tenía a la abuela a su servicio y a la niña Jovita. Las malas lenguas decían que Violeta era hija de Micaela y que por eso le heredó la casa. Si como dicen era hija de Micaela, tal vez Violeta tenga primos hermanos, porque Micaela sí tenía hermanos. Según contaba mi madre, la familia era de mucho dinero, pero por algo a Micaela la desheredaron; sólo le dejaron la casa y una renta. Sí, pero no cualquier casa, es *art déco*. Viole se quedó con casa y sin dinero, ni para comer ni para nada. Al morir Micaela cortaron la renta de inmediato. Todo un drama. La educó como a hija de familia. La mandó hasta la secundaria. Después, cursos de bordado, de cocina. Al mismo tiempo no dejaba de recordarle su origen, hija y nieta de sus sirvientas, y su deber de cuidarla hasta el fin de sus días.

Nadie entraba a esa casa. Creo que la última vez fue cuando murió Micaela; éramos cuatro vecinos, daba lástima el velatorio. Nos encontrábamos en la banqueta, en las reuniones de la comisión de vigilancia, en la puerta de la casa y conversábamos, pero que invitara a entrar, a tomar un café o un refresco, de eso nada. La relación era de puertas afuera. Los únicos que entraban eran los huéspedes. Al principio se las arregló con un dinero de una cuenta de ahorro. Después empeñó las joyas que heredó. Cuando no tuvo más remedio empezó a dar hospedaje. De eso vivía. Duraban poco, unos meses y adiós. El que más aguantó es Mikel; lleva cerca de un año o más. Tal vez la propia casa los espantaba. Toda a oscuras, no entraba luz ni aire, olía a humedad, a viejo, y a los jóvenes el olor a viejo les da miedo. El único que entraba y salía de la casa era Mikel.

Casete Mikel Ortiz. Lado A.

17 de julio de 2007

Lalo Cohen vino de visita. Exigió que sostuviera su amada grabadora, mientras él fumaba sin parar. Exigió, con su estilo de pocos amigos pero amigo al fin, que narrara minuciosamente lo declarado a la policía y al Ministerio Público.

Palabras más palabras menos esto fue lo que le dije a la policía y al MP, porque la policía le pasó mi declaración al Ministerio Público; aunque es ilegal así ocurrió, y no pienso protestar, sólo quiero salir de este separo.

Me levanté a las seis de la mañana, como lo hago todos los días de lunes a viernes y los sábados en que me toca trabajar. Diez minutos en la caminadora y diez minutos en la bicicleta fija. Después el baño, la afeitada y a vestirse. Con la corbata sin anudar fui hacia el comedor para desayunar. Todo en automático, porque la rutina se vuelve automática o la vida automática es la que se hace rutina. Qué sé yo. No olía a café, ni a huevos rancheros, ni a naranjas exprimidas. Pensé que Violeta se había quedado dormida y yo sin desayuno.

Cuando entré al comedor la luz estaba apagada. Violeta se durmió; dije y maldije. Salí apresurado, en la oscuridad; eran las seis y media y aunque el banco me queda a cuatro cuadras tenía que checar a las siete en punto, si no, se pierde el premio anual por puntualidad.

Me llevé por delante una silla y un bulto sobre la silla. Me golpeé una rodilla y grité. No lo puedo explicar. En un instante todo se me vino a la cabeza como un huracán enloquecido; supe que el bulto era Violeta. Corrí a encender la luz. La vi y el grito de dolor por lo de la rodilla se volvió alarido de horror. Estaba amarrada a la silla, con un cable. No quise verla más; aterrado salí corriendo a la calle. Me paré en la puerta y el alarido de antes se hizo gemido de plañidera. No sé cuánto tiempo pasó, tal vez un minuto o dos, en esos casos el tiempo se hace eterno.

De pronto apareció Lalo Cohen, un vecino que sale todas las mañanas a correr al parque a la misma hora. Se parece a Kant, ya que según dice la leyenda la gente ponía a la hora su reloj cuando él salía a dar su caminata.

¿Qué te pasa, Mikel?; preguntó Lalo. Intentaba responderle. No podía por más que lo intentaba; con el llanto atragantado en la garganta y una tembladera imparable en todo el cuerpo era imposible articular palabra.

Me puse a gritar. El vecino aplastó una mano sobre mi cara. Es decir, me dio un bofetón que dejó mi cabeza como una sonaja, y se lo agradezco porque parece que es lo mejor para quitar la histeria.

¿Qué te pasa, Mikel? Repitió enfadado y con dureza. Está muerta, mascullé. ¿Quién está muerta? Más enfado y voz más dura. Violeta, respondí con una calma que no tenía.

—¿Violeta? ¿Estás seguro? No puede ser, estuve hablando con ella ayer en la tarde. No puede ser.

—Yo no la maté, yo no la maté, yo no la maté… —le decía a Lalo, y él me apretó un brazo tan fuerte que casi me lo quiebra.

—Estás histérico, debe estar desmayada, vamos a ver —ordenó Lalo y de un empujón me apartó de la puerta—. Ven conmigo y sin chillar.

Ordene que te ordene el vecino. Agarrándome de las paredes del pasillo para no caerme, lo seguí. Entramos al comedor y me tapé los ojos con el brazo dolorido por el apretón.

—¡Chingada madre! ¡La mataron! —fueron las primeras palabras de Lalo; y las segundas—: ¡Hay que llamar a la policía! —él se fue para el teléfono y yo para el piso. Caí junto a Violeta y perdí el conocimiento.

No sé si me despertó el dolor o el sonido plaf, plaf, plaf, de las cachetadas de Lalo. Lo que fuera hizo que pegara un salto lo más lejos posible de la muerta y le reclamara al inhumano vecino: ¿por qué pegas, bestia? Él como si me hubiera acariciado.

—¡Hombre!, hay que estar a la altura.

—¿A la altura de qué? Yo me voy al banco, ya llego tarde.

—No vas a ninguna parte. Viene la policía y tendrás que declarar —me dijo sin compasión.

Empecé de nuevo con la temblorina y la retahíla: yo no la maté, yo no la maté. Cerré la boca al ver que se alzaba la pesada mano de Cohen.

Cuando llegaron las fuerzas del orden me acusaron apenas verme; sin preguntarme mi nombre y sin ninguna prueba me llevaron detenido. Pero de eso no voy a hablar porque usted ya lo sabe, le dije al comandante.

El comandante, que dijo llamarse Ponce de León, me miró con cara de perro rabioso, hasta creí ver que le escurría baba por las comisuras de los labios.

—Su declaración es pura mierda, no ha dicho una palabra que valga la pena, que aclare algo; volvamos a empezar —gruñó el tipejo, muy protegido detrás de su escritorio y con unas tremendas pistolas encima; así cualquiera se da el lujo de miradas de perro acompañadas de gruñidos.

—Me levanté a las seis de la mañana, como…

—¡Basta de pendejadas, ahora va a responder a mis preguntas! ¿Entendió? —ladró el señor comandante.

—Lo que a usted le parezca…

—Por supuesto. Lo que a mí me parezca.

Entró un poli con unos fólders y una mujer con una botella de refresco de cola, de un litro, que dejó sobre el escritorio al lado de un revólver.

—Este pendejo me va a volver loco, ya no me aguanto las ganas de reventarle los sesos contra la pared —dijo el de la mirada rabiosa.

—Tranqui, mi comandante, no haga corajes, este pájaro tarde o temprano vomita, suelta hasta el último fideo de la sopa.

—Todos son inocentes, a pesar de que hayan descuartizado a su santa mamacita y la hayan usado para hacer mixiotes —dijo la del refresco.

—Acá todos son culpables hasta que demuestren lo contrario —sentenció el rabioso y los otros le festejaron el chiste con sonoras carcajadas.

Al perro lo calmó el poli recién entrado y la refresquera. A mí no me calmó nadie. Las tripas me rugían de tal manera que supe que debía correr al baño. Pedí permiso y fue denegado. No me hice de milagro; creo que me distrajo el tener que responder por quinta o sexta vez lo mismo, lo cual evité reclamarle al comandante.

—A ver, diga: nombre completo, lugar y fecha de nacimiento, profesión, a qué se dedica, sabe leer y escribir, nombre de los padres, desde cuándo vivía en casa de la occisa.

—Mikel Ortiz Goitia. Ciudad de Puebla, bla, bla, bla...

—Nombre de tres personas conocidas que puedan dar referencias de usted. Domicilio y teléfono.

—Pero si no voy a abrir ninguna cuenta bancaria, ni a pedir una tarjeta de crédito. Las referencias no son necesarias.

—¡Basta de pendejadas! Limítese a responder mis preguntas. ¡Me estás volviendo loco, pinche puto! Vamos de mal en peor.

—Perdone, pero quiero manifestar que no soy homosexual.

—Si sigues así, cabrón, hijo de tu rechingada madre, en el bote vas a terminar siendo más puto que las gallinas.

No tuve aliento para responderle que me estaba condenando y mandando a la cárcel sin ninguna prueba. Y yo soy inocente. Yo no maté a Violeta, que en apenas unas horas perdió su nombre y se transformó en la occisa.

—Vamos de mal en peor —dijo el de la mirada de perro rabioso y dio tal puñetazo sobre el escritorio que bailaron las pistolas, los papeles, los teléfonos, el portalápices y casi se cae el refresco.

Cuánta razón tenía el comandante. Eso no era nada, lo que siguió fue peor.

Casete Voces. Lado B.
16 de julio de 2007

> [Idéntico problema al casete Lado A. Imposible lograr que estos vecinos hablen de uno en uno.]

Quiero saber por qué a Lalo no lo llamaron a declarar. Es periodista. A la policía no le gusta que los periodistas anden husmeando en sus chanchullos. Deja que él responda. Fui el primero en declarar. ¿Y qué declaraste? Declaré lo poco y nada que sabía de Violeta. ¿Vieron a un hombre o una mujer desconocidos rondando por la cuadra unos días antes, el mismo día, en la tarde o noche? ¿Oyeron golpes, gritos, cualquier cosa fuera de lo corriente? A esta colonia la reventaron las autoridades, ya no es lo que era. Con los chorrocientos restaurantes, bares, antros y demás basura está repleta de foráneos. A ver, dime, cómo vas a notar si esos desconocidos son o no presuntos asesinos o rateros o violadores. ¡Carajo! Cómo vas a distinguir un grito de auxilio si se la pasan gritando de histeria o de drogados o de borrachos. El Parque México, el más hermoso de la ciudad, y frente a él la mataron. Nadie vio nada, nadie oyó nada. Yo vi a Mikel despedirse de una chava, en el parque; estaba paseando a mi perro. Eran más de las doce. Nos saludamos. Entonces Mikel no la mató porque Lalo dijo que la muerte fue entre las diez y media y once. Esto sí que es un alivio. De sólo pensar que convivíamos con un *Mataviejitas* se me pone la piel de gallina. De ninguna manera podía ser Mikel. Ella hablaba bien de él y él hablaba bien de ella. Además es un chico muy formal, muy cumplido. Pobre muchacho, espero que no lo maltraten y que lo dejen en libertad. No se vale echarle la culpa a un inocente.

Casete Mikel Ortiz. Lado B.

17 de julio de 2007

El rabioso me preguntó a qué hora llegué la noche del crimen. Le dije, muy tarde, pasadas las doce. Fui derecho a mi recámara, tratando de no hacer ruido para no despertarla. Entonces quiso saber a qué hora llegaba habitualmente por las noches. Entre las ocho y media y nueve; veo un rato la tele y me duermo porque me levanto a las seis de la mañana, respondí.

—Y precisamente aquella noche llegó después de las doce. ¿Por qué?

—Fui a misa de ocho a la parroquia de la Coronación y al salir me puse a platicar con una señorita con la que ya había hablado otras veces. Ella me invitó a tomar un café, después dimos una vuelta por el parque. Quedamos en volver a vernos en la misa de una, del próximo domingo.

—A ver, a ver. ¿Usted va todos los días a misa?

—No, sólo los domingos o por un acontecimiento especial.

—¿Qué había de especial esa tarde? ¿Iba a pedir perdón por asesinar a su casera?

—¡Yo no la maté! Fui porque era el aniversario de la muerte de mi abuelita.

—Nombre y apellidos, teléfono y domicilio de la tal señorita. ¿Estudia? ¿Trabaja? ¿Dónde? ¿Con quién vive?

—Beatriz. Se llama Beatriz; no le pregunté su apellido.

—Seguramente tampoco le preguntó dónde vive. Su coartada es perfecta. ¿Sabe a qué hora mataron a su casera? Sabes, pinche puto, que si hubieras llegado como todas las noches ella estaría viva. Pero no, justo esa noche llegaste tarde y tan tarde que ni siquiera te encontraste con el asesino. Qué casualidad, tan ordenado en sus horarios el jotín y esa noche derrapa, una desconocida lo entretiene por horas y ni llega a tiempo para pedir auxilio o llamar a una ambulancia.

—¡Yo no la maté! ¡Yo no la maté! ¡Se lo juro por Dios y la santa Virgen María!

—No blasfemes, puto hijo de puta. Y más te vale que confieses de una buena vez porque ya estoy hasta la madre de oírte decir pendejada tras pendejada. Ni siquiera tienes una buena coartada.

—Necesito ir al baño. ¡Déjeme ir al baño!

—Denegado. Y más vale que no te cagues. No soporto el olor a mierda, me vuelve más loco que tú. Soy capaz de cortarte en tiras con una hoja de afeitar. ¿Me entiendes?

Sí que lo entendía. El efecto de esa amenaza me aterrorizó; la sola idea de verme transformado en tinga poblana y ser devorado en tacos, paralizó mis intestinos y mi vejiga. Pensé en Beatriz, tan dulce y buena; sentí un cierto alivio que duró apenas unos segundos porque el perro volvió a la carga.

—Saliste con una chava, desconoces su apellido, su teléfono y su domicilio. Saliste con una chava y no sabes nada de ella. Sin duda es tu cómplice y la estás encubriendo. Mientras ella entretenía a la occisa tú le amarrabas las tres vueltas de cable en el cuello, le sujetabas las manos en la espalda y las piernas a las patas de la silla. ¡Qué asco! ¡Hacerle eso a una pobre anciana indefensa! ¿Quién tiene el botín? Porque la mataron para robarle. ¿O la mataron por pura diversión? Tú y esa Beatriz son dos cubetas de mierda. De la cadena perpetua no se salvan, se van a pudrir en la cárcel.

La cadena perpetua por un crimen que no cometí me aflojó la vejiga y me meé. Es inútil contar todas las burlas que hizo y las barbaridades que dijo el rabioso. Sólo pensaba en salvar a Beatriz, otra inocente que por tomar un café y un jugo de piña conmigo se iba a pudrir en la cárcel. El perro llamó por tel a no sé quién; al instante tocaron la puerta y entró un tipo con un block grande de dibujo y muchos lápices y gomas de borrar.

—Dame la descripción física de tu cómplice, fidedigna, ¿me entendiste? Si mientes te corto los güevos con este cúter o te los vuelo de un plomazo.

—Beatriz es… alta, delgada, frágil, de piel blanca. El cabello castaño claro y corto. Los ojos pequeños y almendrados. Boca chica y labios finos. La cara alargada. Nariz mediana y recta.

Repetí veinte veces lo mismo. Lo bueno fue que el perro me dejó en paz, por un rato. El dibujante me mostraba el rostro y hacía preguntas, trazaba rasgos, borraba, volvía a trazar. Al final Beatriz quedó muy guapa y el rabioso una vez más sobre su presa.

—¿Cuándo y dónde quedaste en encontrarte con tu cómplice?

—No es mi cómplice y no quedamos en nada.

—¡Vaya con la astucia del puñalón! No quedamos en nada, y nomás hace cinco minutos dijiste que se verían el próximo domingo en la parroquia de la Coronación, en la misa de la una. ¡No vas a llegar al reclusorio! ¡¡Antes te voy a matar, pedazo de mierda!!

Saltó de su silla, tomó un revólver y me puso el caño en la boca. Gritaba, poseído por todos los demonios del infierno: te voy a matar, puto, te voy a matar, puñalón, te voy a matar, hijo de la chingada. Mis tripas no resistieron. Me cagué. Más gritos, más amenazas, hasta que se aburrió y llamó a otros para que me llevaran a un baño y me dieran ropa limpia y que no regresara oliendo a mierda. El olor me desquicia, ladraba con la boca llena de espuma blanca.

El baño con agua helada y jabón Zote fue un vuelve a la vida; me quitó el olor y un poco de humillación. De regreso con el hidrofóbico, envalentonado, fui el primero en hablar.

—Si quiere matarme, máteme. No pienso decir una palabra más hasta que avisen a mis padres y esté presente mi abogado.

—Se nota de lejos que este puñalón se la pasa viendo películas policiales gringas. A ver, traigan el código penal, que le voy a leer sus derechos.

Sacó del cajón de su escritorio una revista *Proceso*, hizo como que leía: tiene derecho a guardar silencio, cualquier cosa que diga puede ser usada en su contra. Los presentes, tal como parece costumbre en el ambiente, festejaron el chiste con sonoras carcajadas. Me valió madres.

Casete Ponce & Cohen. Lado A.

19 de julio de 2007

[A Ponce de León lo conozco desde que empecé a cubrir la fuente policial, la nota roja. Los dos éramos novatos; él acababa de egresar del Instituto de Ciencias Penales, yo de la escuela de Comunicación Social, y ya pasó mucha agua bajo el puente. Es un hombre apegado a la ley, está en contra de la tortura y a favor de una policía profesional. Le gusta la investigación, el peritaje, el análisis de pelos y señales. En fin, que lo suyo es convertirse en sabueso para resolver delitos.

Sin embargo, en ningún momento dejo de tener presente las palabras de mi abuelo Levi; *fidarsi é bene, ma no fidarsi é meglio*, a las que hay que sumar mi deformación profesional; es por eso que la grabadora se ha convertido en parte de mi persona, como una prótesis que no se puede quitar y según las circunstancias la exhibo o la oculto.

Nos reunimos en El Chisme, un lugar donde todavía se puede conversar sin que la música de fondo te obligue a pegar alaridos. Ponce tomó la palabra.]

—Mikel Ortiz me está volviendo loco, no sé si es un psicópata peligroso, un cínico impenitente, un pendejo redomado o un oligofrénico sin retorno.

—Ponce, ¿perdiste el olfato? Mikel no es más que un chavo ingenuo, de provincia. Católico practicante, serio y responsable en su vida y su trabajo.

—Los cristianuchos son los peores. Se esconden en las iglesias para hacer de las suyas. Y este pájaro me tiene lleno de dudas. Te cuento una y me dices. Le pedí los datos de la supuesta amiga con la que andaba la noche del crimen. Primero sabía sólo el nombre, después cantó el apellido y sus características. Con el retrato hablado fuimos a la parroquia donde la conoció. Para los curas era nadie; salvo que ellos también sean cómplices, jamás la han visto. Aunque nos dieron una pista. Localizamos en la calle de Michoacán a una familia Viterbo. Según el jamaicón, la chava se llama Beatriz Viterbo.

—¿Beatriz Viterbo? Yo sabía que tenía una amiga, prospecto de novia, que se llamaba Beatriz, pero Viterbo eso sí que no.

—Sí, carnal, Viterbo. Llegamos a la casa, nos atendió una vieja flaca que era la viva imagen de la Beatriz dibujada, con sesenta años más. No obstante, la vieja no reconoció a la del retrato; tal cual los curas, jamás la vio en su vida. Pero lo mejor viene luego. Le preguntamos si conocía a Beatriz Viterbo. Dijo que por supuesto, que era una tía suya muerta en 1929, en febrero, precisó, y recordó que su cumpleaños era el 30 de abril y que durante décadas la familia se reunía el 30 de abril para recordar a la tía. ¿Qué tal, eh?

—Me estás cotorreando, mano. ¿Tú sabes quién es Beatriz Viterbo?

—Cómo no lo voy a saber, es la tía de la vieja flaca, que murió en 1929 y...

A Ponce le dio un ataque de risa, se atragantó con el tequila. Levantó los brazos. Rojo, congestionado, tosió varias veces y siguió con una risa ahogada; le duró un buen rato. Entre tanto me acabé mi tequila y el suyo.

—Es la protagonista de *El Aleph*, el único cuento que leí de Borges, por recomendación tuya. Pero no lo leí una vez; lo leí tantas veces que me lo sé de memoria. Te digo que el pájaro me tiene desconcertado. Ante mis reparos y más preguntas acerca de Viterbo, la vieja se hartó y nos invitó a pasar. Orgullosa de sus dichos mostró fotos de Beatriz. Había varias en la sala. Anota ésta porque es fundamental: en una trajinera de Xochimilco, que causalmente se llamaba Bety. Con Chema Molina intercambiábamos miradas lunáticas, alucinadas; a él yo también lo hice discípulo de *El Aleph*. La vieja interpretó el intercambio de otra manera y subrayó: mi tía era la mujer más bella de la ciudad, tenía una decena de enamorados que le fueron fieles aún después de muerta, uno en especial venía a tomar el té en su cumpleaños y en unos años ya venía a comer. Así es la vida, murió joven, no tuvo tiempo de marchitarse. Más alucine, mano. Mira que he visto de todo pero esta historia me superó. No lo podía creer.

—Yo tampoco lo puedo creer. ¿Cuándo vino Borges a México? ¿Le habló de ella Alfonso Reyes? ¿Tenía otros amigos mexicanos? ¿Escribió *El Aleph* antes de venir a México y conocer a Reyes? ¿A Reyes lo conoció cuando era embajador en Argentina? No le preguntaste si tenía un sótano en el comedor. Tendrás que investigar.

—Tendrás que investigar tú, carnalito, para eso eres el literato. Yo tengo que resolver el caso de la occisa. El procurador me está apretando los güevos; quiere resultados, quiere al *serial killer* para ayer. A él le aprieta los huevos la dizque sociedad civil. No le voy a ir con este cuento porque me desciende al último escalafón del séptimo círculo.

—No será que la vieja también se sabe *El Aleph* de memoria y armó, inventó toda la faramalla, por fantasiosa, por aburrimiento, por demente o lo que sea.

—De inventos nada, de faramalla menos. Beatriz Viterbo está enterrada en el panteón de Dolores, en una tumba de mármol blanco, llena de flores talladas y los garigoleados de la época. Foto de frente, en marco oval de bronce, misma que vi colgada en la sala de su casa. La custodian dos angelotes y en la lápida consta la fecha de la muerte: 26 de febrero de 1929. La vieja sobrina, y actual dueña de la casa, se llama Estela Viterbo, y por favor no me hables de suplantación de persona. La señora tiene acta de nacimiento, credencial para votar, pasaporte, recibos de predial, de agua y de teléfono, todo a su nombre.

—¡Mierda! Qué historia. Y se llama Estela... Y el tipo que va en los cumpleaños. Hay que investigar. No puede ser pura casualidad, hay demasiadas cosas enredadas.

—Demasiadas. Pide otro tequila porque lo vas a necesitar.

Mientras mirábamos las fotos, y la vieja no paraba de hablar de su tía, apareció una joven, de unos veinticuatro años. Saludó, besó a la vieja y se despidió. Era como el negativo del retrato hablado: alta, delgada, frágil. Sólo que de piel morena, cabello castaño oscuro, ojos negros, boca grande y labios carnosos, cara redonda, nariz respingada. Nomás cerrarse la puerta y la vieja soltó que era Beatriz, la hija de su ama de llaves. Debí actuar, salir corriendo y regresarla a la casa, preguntarle por Mikel Ortiz. Pero te juro que estaba ido, hipnotizado y Chema Molina más o menos igual.

—Mierda, mierda y remierda. Hija de su ama de llaves, casi idéntica a Violeta, hija de sirvienta. Esa Beatriz es la amiga de Mikel, trató de protegerla. Tuvo miedo de que le pasara lo mismo que a él. Me contó que lo maltrataste, lo torturaste psicológicamente; tenías pistolas sobre tu escritorio y le metiste el caño de un revólver en la boca.

—No mames, güey. No le toqué ni un pelo y no aguanta nada el jotín, ya te fue a gimotear. Las pistolas no sirven, forman parte de la escenografía; no pensarás que estoy tan loco como para dejar un arma cargada a mano de un detenido. Te mintió, sólo le apunté con el revólver, un Colt sin percutor y sin balas. Te lo habrá dicho para justificar que se cagó. Si no aprieto un poco no consigo nada. Todos son inocentes. Y del Mikel ese aún tengo una gran incertidumbre.

—Pues te la vas quitando. Hay un testigo, lo vio despedirse de una chava, en el parque, después de las doce, y se saludaron. Además los vecinos dicen que tenía muy buena relación con Violeta.

—¿Y? ¿Qué hay con eso? Pueden ser cómplices. Las características las dio al revés y en lugar del apellido de ella dio el de la patrona. Hasta donde sabemos el o la *Mataviejitas*, o las o los, las engatusan, las encantan; son la mar de buenos, consiguen su confianza para que les abran las puertas de sus casas.

—Ponce, ya te olvidaste de la criminalística, del método científico, del que hacías tanto alarde. Hay huellas dactilares, pelos, uñas, ADN. ¿Qué hay debajo de las uñas de Violeta y de las de Mikel?

—Debajo de las uñas no hay nada. Encontramos huellas del siglo pasado y recientes. Las más cercanas a la occisa, en la chaqueta de piel que llevaba puesta, en los zapatos, en el cable, no coinciden con las del encausado.

—¡Cuánta eficiencia y rapidez para dictarle el auto de formal prisión!

—No me jodas. Lo tengo retenido. Ya me pasé de las setenta y dos horas. Apareció el abogado de la familia y negocié un día más. Si no consigo una prueba mañana lo suelto. A las ocho y media tengo que presentarme en casa de la vieja para ver qué saco de la susodicha Beatriz. Cuando llamé para organizar la cita pretendí echarle un cuentote, que de la procuraduría nos enviaban a informar sobre medidas preventivas a personas de la tercera edad. No se dejó embaucar. La respuesta que me dio fue una nueva sorpresa; ella no le temía al mataviejas, nada de *Mataviejitas*, mataviejas a secas; no se despega de un 22 corto, lo lleva en la bolsa de su falda y tiene excelente puntería. Capaz que es la mera vieja la cómplice de tu amigo el jotín.

—¡Chingaos! Estás desvariando gacho y déjate de insultar a Mikel. Los insultos no te van a lavar la conciencia; tienes preso a un inocente y lo peor es que tú lo supiste desde el primer momento.

—Perdón, hijo. ¿Acaso te volviste homofóbico? Si es puto es puto, y punto.

—Ponce, siempre te pasa lo mismo; cuando pierdes el piso y estás haciendo algo mal se te espesa la sangre, te pones sangrón.

—Mi sangronería tendrá que ver con el eterno retorno. Y el eterno retorno con la creencia de que los asesinos siempre vuelven al lugar del crimen. Aunque en el 99 por ciento de los casos es mentira. La vivienda de la occisa debería estar vigilada. Lo propuse. "No hay elementos disponibles", fue todo lo que conseguí.

—Oye, con todo el rollo borgeano casi se me pasa decirte que Violeta era de la comisión de vigilancia de la colonia. La llevaba bien con los del sector: limonada en verano, café en invierno. Por si te sirve un chisme de las vecinas, dicen que Violeta podría ser hija de la Micaela, y por eso la heredó, y que es probable que la señorita tenga sobrinos que podrían andar de zopilotes.

—¡Qué culebrón! En esa historia no anduvo el ciego; se metieron los de las telenovelas. Sí tenía sobrinos la Micaela, los estamos investigando. Voy a checar a los del sector. Limonada en verano, café en invierno, y los cabrones, hijos de su chingada madre, no fueron capaces de detectar nada extraño; no fueron capaces de salvar a su benefactora. Esto sí que me purga de adeveras. Ya debe estar por llegar Chema Molina; quedé con él ocho y cuarto, estamos a dos pasos. De algún lugar saldrá la punta del ovillo, del ciego o del culebrón.

—¿Puedo acompañarte? Me vendría bárbaro para hacer otra nota.

—Negativo, Lalito. Más te vale que cuides lo que vas a escribir. No me vayas a espantar al pájaro o a la pájara. No me da la gana que el procurador, o cualquier subprocuradorcito, me retuerza más los güevos.

—Mis fuentes son más sagradas que la Virgen de Guadalupe. Somos amigos, ¿no? Te espero en la cantina El Centenario, en dos horas.

—Esa cantina, mi Cohen, ya no es cantina, está llena de *juniors* pendejos que se ponen briagos a la segunda copa, y para rematar chillan como viejas menopáusicas. Nos vemos mañana, a las diez de la noche, en el Sep's, todavía se puede conversar y cenar como Dios manda.

Casete Mikel Ortiz. Lado A.
20 de julio de 2007

Te llamo para despedirme y agradecer tu apoyo. Regreso con mis padres a Puebla. Me dejaron en libertad, con reservas. Me arruinaron la vida, Lalo. En el banco estoy suspendido, sin goce de sueldo, dicen que temporalmente. Lo siento, Mikel, qué chingadera más grande. Esto se tiene que resolver pronto, te devolverán tu empleo y todo volverá a ser como antes.

Me arruinaron la vida. Me marcaron con fuego y esas marcas no se quitan. No tiene ninguna importancia que sea inocente; hasta el fin de mis días seré el sospechoso de asesinar a una anciana. Llamé a Beatriz para despedirme y su tristeza me heló la sangre. La policía fue a su casa. Dos veces fueron. A pesar de lo poco que me contó, supongo que los visitó el trastornado torturador Ponce de León. Imagínate lo que estarán sufriendo. Conozco a la familia y son muy decentes.

No exageres. Cuando encuentren al culpable todo se olvidará.

¡Ja! Mira lo que dices. Lo encuentren o no a mí me arruinaron la vida. Me tomaron fotos de frente y de perfil. Dejé mis huellas en no sé cuántos legajos; todavía no me puedo quitar los restos de tinta. No me devolverán el empleo ni seré empleado en otro banco, ya estaré boletinado en todo el país y hasta en el extranjero. No los culpo, tienen que defender sus intereses, ¡cómo van a tener de ejecutivo a un sospechoso de asesinato!

No existe cliente en este mundo que pueda confiar en un sospechoso. También perdí a Beatriz, una buena amiga que podría haber llegado a ser mi novia. Me arruinaron la vida.

Me marcaron con fuego como marcan a los caballos y a las reses. Me humillaron, me destrozaron moral y físicamente...

Mikel, verás que con el tiempo todo se arregla. La vida sigue. Déjate de gimotear y empieza a reconstruir...

Lalo, vete a tu puta, cogida y rechingada madre.

Clic.

Colgó. El escluincle baboso. Se atrevió a colgar sin darme tiempo a revirarle la mentada. Un viento negro y furioso quedó revoloteando en mi cabeza.

Casete Ponce & Cohen. Lado A.
20 de julio de 2007

> [En punto de las diez me senté en una mesa junto a una ventana y desde donde se viera la puerta de entrada. A Ponce le gusta controlar ventanas y puertas, entradas y salidas de personas, posibles delincuentes.
>
> Llegó a las diez y cinco. Nomás sentarse cortó una rebanada de pan, la untó con abundante paté y la desapareció de un bocado. Pidió unas cervezas.]

—¡Carajo! Me pregunto si el asesinato de Violeta entrará en las estadísticas del 97 por ciento de los casos sin resolver. Quien la mató no puede quedar impune, porque la impunidad es una asesina descontrolada —dije para picarle el orgullo y porque estaba convencido de todas mis palabras.

—¡Qué poca confianza en la policía de esta ciudad! Chema Molina interrogó a los del sector que estaban de ronda ese día. A las nueve y quince pasaron frente a la casa de la occisa.

Ella estaba en la puerta hablando con una enfermera, los saludó con la mano, nada fuera de lo normal. Creímos que el uno por ciento se haría realidad.

—No te entiendo. ¿De qué hablas?

—Del uno por ciento de los asesinos que vuelven al lugar del crimen. Después del interrogatorio y de la pobre descripción de la enfermera que dieron los del sector, mandamos a dos elementos a rondar por el parque. Detectaron a una enfermera, en amena plática con una anciana y su cuidadora. Para no hacerte el cuento largo, pendejearon un rato hasta que les ganó la ansiedad. Se le fueron encima, la descontaron con una llave china. Como sospechaban que era enfermero, trataron de arrancarle la peluca pero ¡oh sorpresa! No había peluca. Se resistió. Le encontraron documentos falsos. La están interrogando y me late que esta cabrona debe más de una. Se le hará justicia a la occisa.

—La occisa se llamaba Violeta. Nació, vivió, murió. Habitó este mundo y ahora es sólo un cadáver prescindible. Qué triste.

—No pretenderás que me encariñe con cada muertito, prescindible o imprescindible, que se atraviesa en mi camino. Estaría dopado y con camisa de fuerza en un psiquiátrico. Bueno, basta de este pinche rollo. Te quiero contar lo de la otra noche en casa de la vieja Viterbo, aunque te advierto que no pienso tolerar ningún tipo de burla.

—Nada de burlas. Pidamos la cena, que los chamorros son tardados, y otras cervezas, para que no se te seque la garganta.

—La vieja, feliz de la vida, nos pasa a la sala. Nos sienta a la fuerza y ofrece un té, un aperitivo, un refresco, lo que gusten. Estamos de servicio, no se moleste. Le pregunto si en el comedor hay un sótano y dice que sí, que cómo lo sé. No alcanzo a responder, lo impide la aparición de un tipo alto y flaco, más viejo que ella, más de allá que pa'cá. Presentación formal: es mi tío Carlos, primo hermano de mi tía Beatriz. Un gran poeta, si a ustedes no les molesta, él podría leerles alguno de sus poemas. La mirada que cruzamos con Chema no te la puedo describir. La médula espinal se me congeló igual que a Borges cuando bajó al sótano para ver el aleph; sentí que me habían tendido una trampa.

—Sí, pero Borges nunca dice que se le congeló la médula...

—Déjame seguir, más tarde discutimos los detalles. Ninguna molestia, le digo a la vieja para hacer tiempo y encontrar una salida. El viejo saca unos papeles arrugados del bolsillo de la cazadora y lee.

Hay, entre todas tus memorias, una/ que se ha perdido irreparablemente;/ no te verán bajar a aquella fuente/ ni el blanco sol ni la amarilla luna.

—Usted es un impostor, esos versos son de Borges no de Carlos Argentino Daneri —grité desmesurado, lo reconozco.

El viejo da un respingo y balbucea. Está confundido, joven, mi nombre es Carlos Andrés Danielli. Salté del sofá como si me hubieran clavado un aguijón en el culo. Identifíquese, otra vez gritando. El viejo desconcertado, con los ojos fuera de las órbitas, pidiendo auxilio a la vieja. Pasaporte, le vuelvo a gritar más furioso. ¡Santo Dios! A este hombre le dio un ataque de locura, dice la vieja y me apunta temblequeando con su .22. Chema se pone de pie, desenfunda, le apunta a la cabeza y aúlla: señora, tire el arma. Me dio tal ataque de risa que me doblaba en dos: no podía contenerme.

—¡Chingao! Se te deschavetó la azotea, estás bien pirado, Ponce. Si se enteran tus jefes te degradan y pasas de comandante a chavo de la limpieza.

—Y que lo digas, Cohen. El miedo, el miedo es recabrón, juega sucio, pone zancadillas cuando te agarra desprevenido y no lo puedes manejar. El ataque de risa fue un conjuro contra el miedo. Así se la gasta nuestro inconsciente.

—Lo cierto es que esos viejos también están relocos. El tipo lee unos versos que no son suyos y que son… ¿Cómo supiste que eran de Borges, si lo único que has leído de él es *El Aleph*?

—Fácil, memoria, blanco sol, amarilla luna, sonaron al ciego. La vieja tiró el .22 a los pies de Chema y se contagió, reía y lloraba, movía el cuerpo, los brazos, doblaba las piernas, nomás le faltaba el guiñol. Cuando nos calmamos un poco dijo: hacía mucho tiempo que no me divertía tanto, hay que festejar, tengo una botella de cava en el refrigerador. Discretamente, sin demasiado aspaviento, Chema y el viejo se unieron a la risa. Brindamos por la vida, por las tres Beatriz Viterbo y por muchas cosas más.

—Te envidio y me encabrona que no permitieras que te acompañara. ¿Cómo se te ocurrió que el viejo se llamaba Carlos Argentino, como el enamorado de la Beatriz del cuento?

—De las coincidencias, de las casualidades, qué sé yo. Con todo lo que había, lo lógico era que se llamara Daneri. Pero la lógica no le sirve a la ficción.

—Nada que objetar. Te pusiste a chupar con los viejos majaras como si nada y…

—Con ellos y con Beatriz Viterbo, el negativo de la del ciego. Te dije que brindamos por las tres Beatriz, la imaginaria, la enterrada en el Panteón de Dolores, y la joven hija del ama de llaves y de padre desconocido.

—El negativo, digo Beatriz, ¿también es Viterbo? Entonces Mikel dijo la verdad y la vieja te distrajo con la tía muerta en 1929. Tenemos que investigar, está excesivo este asunto, me huele mal.

—Ya investigué. La vieja le dio su apellido al negativo, la nombró su única heredera, la mandó a la Libre de Derecho; está cursando la maestría, y para culminar su buena obra la quiere casar con un buen muchacho, como Mikel, ese desventurado inocente, dijo empalagosa. ¿Te das cuenta?, la quiere casar con tu amigo, el jotín poblano. Intenté alguna objeción: no hemos encontrado al asesino y bla, bla, bla. Los tres chiflados hicieron una defensa del jotín que ni el mejor penalista del país hubiera logrado.

—Lo que son las cosas. A pesar de algunas coincidencias, qué diferentes son las historias de Beatriz y de Violeta. Y el desdichado de Mikel se fue creyendo que Beatriz ya no quería nada con él, que está marcado de por vida.

—Te dije que era un maricón. En vez de dar la cara, al negativo y a la vieja, y explicarles lo que había pasado, salió huyendo escondido entre los pliegues de la falda de su mamacita. Será rajón el güey.

—Ponce, mejor cállate, que tuviste mucho que ver con esa huida. Aunque en realidad en este momento me vale madres el lunático de Mikel. Todo esto me huele a repodrido; las tres Viterbo, tu repentina pérdida del miedo, aquí no pasó nada y a brindar por la locura. ¿No pensaste ni por un instante que te podrían haber puesto un narcótico en el champán?

—En ese caso me hubieran bajado al sótano y hubiera visto el aleph. Qué más puede uno pedirle a la vida.

—No sólo de lo intangible vive el hombre.

—Amén, san Cohen.

CON LA CABEZA FLOTANDO por culpa de las cervezas, el tequila y la interminable charla literaria con Ponce, me fui caminando a mi casa. Atravesando el Parque México regresó Violeta. Me encontré con Ponce para hacer una nota sobre ella, pero otra historia escrita a siete mil quinientos kilómetros de distancia desdibujó el impacto de su muerte. Recordé que la tarde en que la asesinaron estuvimos conversando, si se puede llamar conversación a un intercambio de veinte, treinta, cuarenta palabras. La acompañaba una tierna sonrisa. No sabía nada de

Violeta, sólo que era amable y se interesaba por la salud y por el trabajo de uno. En diez años de vecindad no fui capaz de decirle: si necesitas algo aquí estoy, cuenta conmigo. Tampoco se lo dijeron los otros vecinos. A esa mujer, que estaba tan llena de soledad, le borraron la sonrisa y la mataron por nada. No reclamarán su cuerpo, no tendrá una lápida que recuerde que nació, vivió y murió. Y muy pronto, los que la conocieron se olvidarán de ella.

8

Afuera de la puerta

por *Óscar de la Borbolla*

BARRIO UNKNOWN

Por esa ventana del segundo piso salían los gritos de auxilio desgarrándose al romper los cristales. Nadie puede decir que no los vio estamparse como proyectiles de sangre contra el edificio de enfrente. Salían de ahí, de esa ventana convertida en bocina de mujer, porque eran gritos de brasier rasgado y de matriz rota. La están violando, pensamos unos, la están matando, pensaron otros, y a zancadas todos subimos la escalera. La puerta del departamento es de metal y estaba bien atracada. No hubo modo de abrirla, y eso que los más fuertes se fueron contra ella. La vecina del departamento de junto llamó a la policía, pero el teléfono, una y otra vez, sonó ocupado. Busquemos una patrulla, propuso alguien, y dos vecinos salieron disparados a la avenida. Yo me quedé golpeando con las palmas la plancha de acero de la puerta; pero de adentro nadie respondía ni volvió a oírse nada. Fue cuando supe que desde hacía meses ese condominio estaba vacío y el dueño había mandado enrejar hasta la última de las ventilas del baño.

Al cabo de mucho rato, los vecinos que se habían ido a la avenida regresaron con la promesa de unos patrulleros de venir enseguida, y la misma esperanza obtuvimos del teléfono, cuando, por fin, del otro lado de la línea una voz burocrática respondió y pidió que se le deletreara la dirección y se le resumieran los hechos. Sí, dijo la vecina, pasó hace como una hora, alrededor de las dos de la tarde.

Transcurrió, sin embargo, otra hora sin que las autoridades se presentaran. Volvimos a llamarlas; hablamos incluso a la Cruz Roja, a la Cruz Verde, a los bomberos, pero los teléfonos estaban muertos, ocupados o sonaban sin parar y sin que nadie los atendiera. Era espantoso no poder hacer nada, sentirnos impotentes ahí junto a esa puerta que nos cerraba el paso, porque estábamos seguros de que la mujer que había gritado seguía viva. No se oía nada, pero estábamos seguros de que todavía podíamos ayudarla. Además, el violador, el asesino seguía ahí, pues nadie había salido desde los gritos.

Corrí a la avenida a buscar otra patrulla, pero ni un policía, ni una ambulancia, nadie. Anduve horas para arriba y para abajo sin ningún provecho y, finalmente exhausto, regresé al edificio con la esperanza de que ya se hubiese presentado alguien. Pero el gesto de desamparo de quienes seguían, ahora con herramientas, intentando forzar las cerraduras hizo que me desesperara y me pusiera a maldecir la irresponsabilidad policiaca, pues eran poco más de las seis de la tarde y estaba oscureciendo sin que viniera nadie.

Intentamos todo con las herramientas que teníamos: un cincel para aflojar el marco, un zapapico para hacer palanca y botar la puerta; pero con el cincel sólo conseguimos que se le mellara la punta y la pared, en cambio, siguió sin siquiera un rasguño. Y con el zapapico nos fue peor, pues al resbalarse se llevó la pierna del vecino del departamento 7, quien acompañado de su esposa y de otros vecinos tuvo que ser llevado a un hospital, pues, ciertamente, sangraba mucho.

Pasaban ya de las nueve de la noche y nadie había comido. Una vecina trajo café para todos y unos tacos de frijoles refritos que nos supieron a gloria. Mi marido tuvo que quedarse en cama, dijo, pues a su edad y con el susto no se siente bien. Aguantó mucho, comentamos todos y le agradecimos los tacos. Vaya con él, sugirió alguien, no se preocupe, nosotros entendemos.

Con la cena retoñó el ímpetu por abrir la puerta; pero a las once de la noche los pocos que quedábamos estábamos sentados en el descanso de la escalera, al pie de esa maldita puerta que no había cedido a ninguno de nuestros intentos, y ya no teníamos ganas ni de despotricar contra la policía.

Era inútil seguir haciendo guardia: no podíamos entrar y tampoco se oía nada. Tal vez ya no había nadie a quien ayudar, tal vez ya era demasiado tarde. La policía brillaba por su ausencia, y eso que ellos eran los responsables de aprehender al asesino, al violador, al culpable; si es que seguía ahí, porque ya tampoco estábamos seguros de que siguiera ahí; tal vez se había escapado antes de que llegáramos nosotros. Ya no estábamos seguros de nada: nuestras certezas habían sido desplazadas poco a poco por el cansancio. ¿Qué hacemos?, preguntó el vecino del 10, pues él debía irse a trabajar muy temprano. Y yo, a primera hora, tengo examen de trigonometría, dijo el muchacho que supe que vivía en el departamento 8. La pregunta ¿qué hacemos? se quedó flotando en el aire de la escalera durante unos minutos hasta que yo volví a formularla. Entonces, ¿qué hacemos?, dije. Alguien propuso que nos turnáramos para montar guardia hasta que amaneciera y alguno de nosotros en persona pudiera ir a la delegación para levantar un acta y exigir la presencia de la policía. Pero la idea no prosperó, pues nadie quería quedarse solo ante esa puerta que en cualquier momento podía abrirse y dejar salir al violador o al asesino y ¿quién nos garantizaba que fuera uno y no dos o más y saliesen armados? Yo no vivo en este edificio, sino en el de enfrente, dije; además, necesito ir a mi casa a ver quién me ha llamado, pues hoy iban a confirmarme un viaje de trabajo. Cada uno de nosotros fue explicando sus necesidades y a las dos de la mañana, sin haber definido quién sería el responsable de acudir a la delegación a levantar el acta, decidimos irnos.

En mi contestadora telefónica se encontraba el mensaje que había estado esperando: la clave de reservación de un vuelo que me libraría de la ciudad de México por una semana. Apenas tenía tiempo para hacer la maleta, llamar al sitio de taxis y dormir un par de horas. En cuanto llegué al aeropuerto decidí olvidarme de los gritos y concentrarme; ordenar mi cabeza para que los asuntos que tenía que resolver en Guadalajara no fueran a estropearse. Con la distancia, las discusiones de trabajo, las llamadas a la oficina y el informe detallado que debía entregar a mi regreso no hubo modo de que me preocupara por otra cosa, y la escena en la escalera comenzó a parecerme más una pesadilla que una experiencia vivida.

Al mes de mi regreso a la ciudad de México me crucé en la calle con el hombre que se había herido la pierna con el zapapico. Él tampoco sabía nada, pues la pierna se le había infectado y entre ir a las curaciones y al trabajo no había tenido tiempo de preguntar por el desenlace de aquella noche aciaga, y su esposa menos, pues, luego del accidente, no quería ni oír del asunto.

Los días siguieron pasando con esa mecánica que tiene la vida cotidiana, y una noche, también por casualidad, me topé en el supermercado del barrio con el vecino del 10, aquel con quien había estado despotricando contra la policía durante horas frente a la puerta maldita. No, pues que yo sepa, no ha pasado nada, dijo. ¡Cómo!, exclamé indignado, pues verlo me había reavivado el recuerdo de los gritos de esa pobre mujer a la que habían matado, porque seguro que la habían matado. Sí, me respondió él, yo también creo que la mataron. Pero, ¿y entonces?, dije yo, ¿cómo es posible que nadie haya ido a levantar el acta, que, todavía, no hayan derribado la puerta? No, pues no, que yo sepa no, dijo él levantando los hombros y agregó: todos recordamos el incidente, incluso, bajamos la voz cuando pasamos por la puerta de hierro. Y hasta la vecina de junto, ¿te acuerdas?, la que llamaba y llamaba a la policía, se va a mudar o ya se mudó; me lo dijo la semana pasada cuando la vi subir con unas cajas a su departamento. ¡Habría que hacer algo!, insistí furioso, como si estuviera decidido a ir personalmente a levantar el acta. Pero, y tú, ¿para qué te comprometes yendo a la delegación?, ni siquiera vives en el edificio. Me le quedé mirando fijamente a los ojos, habían pasado más de dos meses... La cajera del supermercado dijo entonces: son doscientos setenta y cinco pesos, ¿trae boleto de estacionamiento? Saqué maquinalmente el dinero, recogí mi cambio y me despedí del vecino.

Tercera Parte

UNA SOFOCANTE CIUDAD

9

DIOS ES FANÁTICO, HIJA

por *Eduardo Monteverde*

PANTEÓN DE SAN FERNANDO

—Padre… me acuso de haberme cambiado el sexo.

—¿Sí, hija? Yo también.

La bruma de la iglesia de San Fernando cubrió el confesionario del incienso. Del lado de la epístola un acólito mecía el braserillo, cara de serafín costroso, hábito rojo roñoso, un niño que se deslizó desde el atrio, limbo de las criaturas de la calle que rodea al templo, lugar en el que nadie se percata cuando alguien desaparece del enjambre. Su ausencia aumenta el volumen de la nada.

—¿A qué te dedicas, hija? Me cautiva tu perfume.

—Por la noche bailo en un *table dance* y en las tardes busco niños perdidos. Todavía no encuentro a ninguno. Quisiera.

—Bribona.

—No es lo que piensa. Fui policía judicial. Es gratis.

—Yo era monja. Vamos a dar una vuelta allá fuera.

—¿No me absuelve?

—Luego lo remedio. Ahorrémonos el *Confitor.* Yo te confieso que fuiste tú quien llegó a mí —la ex policía lo consideró un acto de humildad sincera y solidaria que se arrebujó en su ánimo sin sosiego.

Como vapor de ciénaga en otro confesionario se enredaba el incienso en las zapatillas de un cura con tenis Nike roídos, se le metía bajo el hábito y surcaba la entrepierna. Por la coronilla rala, arqueología de una tonsura, entraba el aliento de Fernando III, rey medieval, flagelador canonizado que ingrávido blande en el altar su espada que parece tocar a las escasas beatas que oran sumidas en sus rebozos. Bajo la cota de malla el guerrero porta una faja de hierros que le destrozan la carne. Su espíritu viaja desde el cuerpo incorrupto en Sevilla. Vigila así su dominio en la Nueva España. La penitente y el confesor salieron. Caminaron desde el pórtico a un jardín de grama inmunda; pisaban con tiento para no estropear a los niños cubiertos por pegamento de zapatero. Unos inhalaban, otros dormían; de una teta quinceañera magullada por cinco siglos, una suerte de feto succionaba en vano los estertores de una leche que no fluía. La areola, de goma a rebosar.

—Están abollados, hija. Las úlceras son abolladuras, y mira aquél cómo tiene sumido el cráneo. Pocos son los que sirven para que alguien se los coma. Ni el caníbal se los comía.

—¿Al que apañaron por aquí hace unos días?

—Ése fue el que se comió a su novio y ni siquiera lo aderezó bien, según el padre Próspero, mi vecino en lo de las confesiones, uno pelón que anda con los tenis rotos. ¿Te hubiera gustado atrapar al caníbal?

—Sí, madre... perdón. Atrapé a otro, yo no, pero estuve cuando lo agarraron, madre, perdón otra vez.

—No me ofendo por cosas de género, somos ángeles quirúrgicos.

El fraile cubrió aún más su cabeza con la capucha de la que sólo asomaban rasgos de cera.

—Esta iglesia es barroca mexicana, lo que es mucho decir, no sabes cuánto, ¿cuánto? Da miedo, ¿verdad? Mira cómo purpurea el atardecer. Es por el esmog, al rato se va a amoratar; los colores de la liturgia se las arreglan para cubrir siempre a esta ciudad. Si quieres encontrar niños perdidos entre esta basura métete al drenaje, hurga en las alcantarillas con un alambre y si sacas un ojo, ¿a quién le vas a preguntar de quién es? Vamos al panteón.

Sin mostrar el rostro sacudió el hábito pardo, ahuyentó los pegotes del bochorno urbano. Inmensa urna funeraria de cantera rosa los recibió a la entrada, en medio de un jardincito, memoria petrificada de un fiero militar, indio conservador fusilado junto al archiduque Maximiliano en el Imperio mexicano. Caminaron entre las tumbas del panteón de San Fernando bajo el cielo gris crápula de la ciudad.

—¿Torturabas cuando eras tira?

—A los hombres, pero no precisamente era lo que usted dice.

—Tortura, no temas a las palabras. Te excitabas con las erecciones cuando les ponías la picana. La electricidad es milagrosa —tañó un testículo de San Fernando.

—¿Me sigue confesando?

—Confieso de nuevo que soy yo quien te esperaba. Me traes recuerdos de un viejo amor. Sigo… San Fernando flagelaba con púas la carne de sus soldados, *times are changing*, hay que adaptarse a la tecnología. ¿Te calentabas?

—Yo era algo femenino, mis compañeros me molestaban mucho, tenía que demostrar que tenía huevos, y sí, sí me excitaba. Les acariciaba sus partes cuando se desmayaban.

—¿Con quién te acostabas?

—Con el comandante Pérez —la muchacha casi desfalleció de espaldas a una cruz y cubrió su rostro de primavera mediterránea. El aire denso de la ciudad le daba un aura gris en torno a sus pantalones blancos Gap y la camisetita Zara aguamarina, falsificaciones de mercadillo. De estar desnuda, un san Juan de Dios infantil, renacentista, con el cabello cubriendo sus pechos cual espuma de mar. De una mano la cogió el fraile encapuchado.

—Mira la tumba de Benito Juárez, fue el que mandó fusilar al militar de la entrada. También era indio. Así es la ciudad de México. Revoltura. La fatalidad y la esperanza se enredan en la misma enredadera. En este panteón sigue oliendo a muerto. Y se supone que en el trópico todo se descompone. Aquí hay cosas que permanecen aunque no estén aquí. ¿Ves esa lápida que reza Isadora Duncan?, pues ella está aquí; la enterraron en Niza, pero así son los mexicanos, algún admirador le hizo su cenotafio a un lado del indio Juárez, ¡esto se llama mestizaje! —la muy amplia manga del hábito circundó el cementerio—. Cuéntame de las erecciones.

La plática se volvió un cuchicheo en la reverberación del tráfico crepuscular. Volvieron a la iglesia, el sacristán cerró el pórtico de roble añejo. Se adentraron por el pasaje en medio de la nave de muchos bancos ya sin beatas remeras. Flotaban restos del olor de las fervorosas. Una luminaria de veladoras asombra una pintura que cubre un muro del crucero; centenares de veladoras velan a una multitud de franciscanos de rodillas, admiran sobre sus cabezas a los siete mártires de Ceuta, a los siete de Marruecos, alaban al Señor en una cruz de la que brotan cogollos de abeto y en el firmamento las nueve jerarquías en la corte celestial: arcángeles, tronos, potestades, dominaciones, querubines, serafines, ángeles, principados, virtudes. La pintura emana sombras. En otro muro se desliza penumbra, apenas perturbada por cuatro manojos de lumbre en la cueva de Belén, cuatro es número sagrado de indios, y arriba, en el cielo tormentoso, una nube se enrosca en la espiral del glifo que representa al agua nativa, agua y fuego, *atl* y *tlachinolli*, y en el altar permanece san

Fernando irascible en un nicho rodeado por espirales churriguerescas labradas por manos indias, y afuera, en el atrio, cae la noche sobre niños. Les da la espalda una figura triste con gabardina del Burberry de New Bond Street comprada en The Galleria en Houston. Ser policía en México da tanto para viajar en paquete como para financiar cambios de sexo a un subalterno favorito. Es el comandante Pérez. Mira lánguido el zaguán, alza la vista a san Fernando, rey de Castilla, flanqueado por cuatro ángeles. Para él, devoto cristiano, es un espectro. Los ánimos del policía andan en otros vericuetos, veredas con letras de bolero y el anhelo de un cuerpo al que le cambió el sexo y le abordó el alma. Respira con tristeza amorosa. Dentro, penitente y confesor avanzan en la espesura de tinieblas por el suntuoso cañón de bóvedas. Una campana dobla a muerto. La tañe el monaguillo del braserillo. Suspira cuando pasa un avión.

—¿Tú sabes cómo tienen el cerebro esos niños de allá afuera? Como esponjas marinas de mil ojos. Saben a tolueno o a lo que tenga el pegamento. Les perfora los sesos. Se pueden marinar, hervir un buen rato y se les va el olor. ¿A qué sabrán? ¿Son los perdidos que quieres encontrar? ¿Cómo te llamas?

—Nausícaa.

—Qué sofisticada. ¿Quién te puso así?

—El comandante Pérez.

—Te hubiera puesto Xóchitl Fernanda, algo más mexicano. Yo me llamo Diego Tonatiuh. Antes me llamaba Temeraria. Cosas de mi padre que era un anarquista de Aragón que se refugió en esta ciudad mestiza, híbrida como yo. Dicen que lo maté de un mohín por meterme de monja. ¿Te quieres quedar a dormir? —el acólito del braserillo asomó por encima del púlpito. Parecía un querubín revoloteando tras la figura gentil de un san Miguel Arcángel al que le robaron la lanza para ensartar al demonio.

—Tengo que trabajar, padre... ¿Hace mucho que se cambió de... sexo?

—Antes del Diluvio, de las plagas de Egipto, del Primer Sol, *Nahui Océlotl* que duró 674 años y los que bajo él vivían, fueron devorados por tigres. Luego vinieron otros cuatro soles y en el último, san Fernando —el cura cayó al suelo en éxtasis y Nausícaa creyó que el monaguillo hablaba por él con una voz arrobada de querubín gangoso en la garganta profunda del religioso añejo: *"Pange, lingua, gloriosi corporis misterium, sanguiniste pretiosi..."*— decía convulso:

—Dios es fanático, hija, me hace decir cosas que no debo, ver y oír lo que no es cierto, cuando el cuerpo es un misterio y la sangre sea preciosa...

El monaguillo bajó del púlpito y ayudó a que el fraile se levantara maneado en el hábito. Algo le murmuró al oído. Al ver a Nausícaa con ojos de asombro, el religioso le dijo que no hiciera caso de la aparición, que era tan sólo eso, una apariencia en tránsito. Recuperó la entereza; la voz nasal se volvió profunda.

—Si lo digo en *castilla* es un ánima que va rumbo al ¿cielo?, ¿al limbo?, no te lo puedo asegurar. Como es un niño de la calle no sé si lo bautizaron. Si lo digo en mexicano, es un teyolía disfrazado de monaguillo que va camino de uno de los cuatro mundos del Mictlán, infierno de los antiguos de aquí, algo así como un espíritu para nosotros los cristianos. ¿A dónde va a llegar? Ya está huevoncito para arrimarse al árbol de las tetas en el Chichihuacalco y mamar toda la eternidad. ¿Me dejas ver tus tetas? No me gusta decirles chichis, es un mexicanismo que no suena bien, recuerda que tengo sangre aragonesa. Vamos a la sacristía. Allá estaremos seguras, el ánima, teyolía o como le quieras llamar, me dijo que afuera hay un hombre del que sólo podemos esperar el mal —el mocoso se metió en corriendo en las sombras de una capilla. Nausícaa lo miró un instante, el chavo rió hasta desternillarse y en un tris se esfumó.

Ante la fachada, el comandante Pérez se alzó el cuello de la gabardina y exhaló un suspiro de amor. Se contuvo para no patear a los niños del atrio. Volvió sus pasos, los de siempre. Su escolta lo esperaba junto a la patrulla. Fue a la comisaría. Cogió los sobornos del día, bajó a las galeras. En una celda estaba el caníbal aprehendido días antes cerca de San Fernando. El sudor aterrado de los detenidos había cubierto el mosaico de las paredes, cebo de calabozo; de una lamparilla enrejada se escurrían estalactitas de pavor. En una banca de cemento yacía el caníbal que devoró al novio, esmirriado y tembloroso en posición fetal dentro del cascarón cochambroso de la mazmorra. Al terminar la faena el jefe iría a casa, con su mujer e hijos, donde pudiera hallar la atmósfera para sosegar su amor por Nausícaa. A un ordenanza le aventó la gabardina y el anillo de oro con esmeralda de Boyacá que le arrancó a un narcotraficante colombiano. Parte del cadáver lo sacaron en el patio de un jardín de niños. Obstruía el drenaje. Un agente le trajo guantes de cocina y un bate de beisbol infantil con diámetro para convertirle al caníbal los esfínteres del recto en arandela infernal. Los ojos de ambos se zafaron de los sóquets. Los del reo quedaron afuera.

—Huele a hervor de carne humana —dijo Nausícaa.

—No profanes con tus mientes esta sacristía. En esta ciudad todo se filtra; por igual huele a cañería que a puesto de fritangas, a yerbasanta, epazote, tomillo, mejorana, incienso y mirra, a perfumes de tianguis. ¿Sabes?, yo me perfumaba cuando era monja, después de los abortos, como que el perfume me quitaba la sensación de ser puerca, esencias piratas, una especie de lo que respiran los dioses; dejaba de ser aquella sor inmunda y me transformaba en el Corsario Negro. Dijiste que te olió a carne humana. No me digas que tú...

—No, no, padre Diego Tonatiuh. Sé a lo que huele por un asunto, el de un caníbal que nos asignaron a mí y al comandante Pérez, ya le platiqué. Fue una denuncia de los vecinos de un edificio, llevaban más de un año con quejas de que a veces algo olía raro en una vivienda del centro. Fuimos y encontramos...

—Con detalles, hija, que lo carnal siempre excita.

—El comandante Pérez rompió la puerta de una patada y entró con la metralleta por delante. Veníamos como cinco y a mí me empujaron los que venían atrás poniéndome el cañón de sus pistolas en ya sabe dónde.

—En el culo.

—Así me hacían siempre. Decían que yo era puto. Apañamos al caníbal meneando un perol con una cuchara de palo. Yo no supe qué había adentro, pero el hervor era de carne. Uno de mis compas sacó su cuchillo de *ranger*, lo metió y trinchó una pierna de persona. Vestíamos de negro, con pasamontañas. Alguien abrió el refri y encontró dos cabezas de mujer. A mí lo que me producía vahído era el olor del guiso, ¿puedo decir guiso? El comandante Pérez le metió la cabeza al caníbal en el caldero. Uno de los policías me metió a un cuarto lleno de revistas pornográficas y me violó. Yo lo dejé y entonces entró el comandante y lo madreó con su boxer. Le desfiguró la cara. Había dientes en el piso. ¿Cuántos dientes tiene una gente?, fue lo único que me preguntaba.

—¿Te comerías a un monaguillo en *cous cous* a la mexicana?

—Atoramos al caníbal, pero se me quedó aquel olor impregnado. Por eso uso tanto perfume —perfume de puestos, de contrabandos, de sabandijas, pensó la sor, la ex sor, la monja de los *nuncas*, sor Temeraria de los Nuncas. Ya era demasiado tarde para arrepentirse; no volvería a asaltar un banco para cambiarse de sexo otra vez. Envejecía con pocos ánimos para ayuntarse con otro varón que no fuera aquél, aunque no hubieran podido revolcarse por un abrojo que les ensartó el destino. Fray Diego Tonatiuh había tenido un amor, un gran amor, el único en su vida, y la policía se lo mató en las crujías de la Judicial. Hasta el fundillo le achicharraron con la picana. Lo conoció en el convento de las franciscanas concepcionistas, donde ejercía la legra con maestría. Llevó una novia a que abortara, muy guapo aquél. El alma del cura se alejó de Nausícaa, una elevación a los recuerdos. Su mente dejó a la muchacha mirando en un lienzo a la Inmaculada Concepción, airosa y de pie, virgen aniñada, en un carro empujado por numerosos frailes en finos trazos recamados y encima el escudo de san Francisco, las cinco llagas y el pelícano sobre un libro. Sor Temeraria estaba en un claustro de naranjos. Le frotaba con azahar las palmas al hombre que llevó a la chica para el aborto. Fue amor a primera vista. Él quedó prendado de la gallardía masculina de la monja. Ella de la prestancia varonil de quien era un asaltabancos de poca monta. En el corredor cantaban los cenzontles, trinaban los canarios; en los arriates floreaban las azaleas y él le entonó al oído: "Como espuma que inerte lleva el caudaloso río, flor de azalea, la vida en su avalancha te arrastró". Ella sacó un libro de su hábito, le señaló un fresco relamido desde la Conquista por un moho porfiado. En una cenefa de floripondios y madreselvas, una centauresa monta a un mono que tiene piernas de efebo y calza huaraches indios. Con una mano acaricia los pechos de la mujer, con la otra se masturba. Le dijo al hombre que así debería ser su amor, copia fiel del motivo colonial pintado e imaginado por indios mexicanos y frailes andaluces con mucho de Medievo. Leyó: "Mi espíritu me inclina a escribir las metamorfosis de los cuerpos en otros nuevos. ¡Oh, dioses! Ya que vosotros también los habéis cambiado, inspirad mi empresa y conducid este mi poema desde el origen del mundo, sin interrupción, hasta nuestros tiempos". La hermana entró al pabellón de los abortos y le surtió a la paciente una dosis triple de pentobarbital sódico. En el convento había personal para esos imprevistos que aparecían días, meses después, o nunca, sor Temeraria de los Nuncas, en el Gran Canal, dependiendo de la generosidad con la policía. Y allá fue a dar él, su amado. La mente de fray Diego Tonatiuh regresó a San Fernando, su aliento voló del claustro de naranjos a la sacristía y retomó la plática con Nausícaa.

—Soy virgen... Y hace unos días atoraron a otro caníbal aquí cerca, el que decíamos, el maricón —la voz volvió a ser nasal, retumbando bajo el capuchón hasta la histeria—. Y si usas perfume es por tu condición de ramera. No te hagas que es por que tienes el santo olor de las monjas incorruptas o te moleste el olor de la carne. Perdóname lo de ramera. Me he contagiado de machismo mexicano. Soy un infecto, deja que vuelva a mi tono reposado.

—Soy virgen, padre —alcanzó a decir mientras el monje la jalaba de un brazo, con la otra mano se enfundaba más la capucha—. ¿A donde me lleva? Huele a carne humana. No quiero ir. ¡Déjeme! ¡No soy una puta! ¡Soy virgen!... por delante.

—Ésa es la verdadera castidad, la del séptimo sello; lo otro es sodomía bujarrona y no vale, aunque tiene su gracia.

Y arrastrada por fray Diego Tonatiuh, al salir de la sacristía se le incrustó a Nausícaa en su corazón muy adentro el olor a cuerpo humano y el tercer hervor se le cocinó en la imagen. El cura se percató y le dijo que eran cosas del padre Próspero, que vivía en el edificio de apartamentos amueblados a un lado de la parroquia y que gustaba de la cocina de fusión, muy moderno el padre de las zapatillas desflecadas. El barroco mexicano le cayó encima. Nausícaa vivía en ese lugar.

La muchacha salió como un dardo disparado en una caverna, resollaba en la nave a la búsqueda de una salida; tropezó con una urna de vidrio, dio cara a cara con un Cristo agobiado por el par de milenios en gotas de sangre.

—¡Dale por el culo, hija! ¡Ráscale los huevos con la chicharra eléctrica! Es un fanático acostumbrado a las pasiones. Le puedes hacer lo que quieras sin remordimientos, es un cautivo más de las galeras. ¡Grítale! ¡Humíllalo! ¡Nadie te puede oír! ¡Ni la policía! ¡Ja! ¡Ni tú misma! —la voz del cura se deslizó con desportilladura de peltre por el eco del templo, con la misma cadencia del enorme pasador que abrió el portón.

En ese rincón de la ciudad de México el sol no se acuesta ni amanece. Son los cielos quienes se abaten o enderezan. La noche le cayó a Nausícaa, capa de hollín con resonancia bermeja, el cielo de la semejanza diaria luego de que la gente se refugia en la trampa de sus casas. La joven miró los edificios apagados, una que otra luz en alguna fachada, los faros de un coche que pasaba. Se decantaba el humor de los motores que circularon durante el día, brotaba del asfalto para escurrirse al embalse donde dormían los niños de la calle que hacían del prado un erial frente al atrio de San Fernando. A diestra y siniestra del rey santo, Domingo y Francisco veían a las criaturas ignorar sus enseñanzas de contención. Unos dormían ahítos de pegamento, otros sudaban la goma en fornicaciones colectivas. Nausícaa se acordó de su trabajo. La regañarían. Se arrebujó en lo que fuera un seto, miró a los chamacos que compartían sin preguntas lo que ella siempre se había cuestionado.

—Ésta es la verdadera liberación sexual —le susurró una voz al oído; por instinto echó mano a la pistola, un reflejo en vano: desde que cambió de sexo andaba desarmada—. Soy el padre Próspero. Te he visto en el *table dance*. Nunca te encueras por completo. ¿De qué privilegios gozas? Terminas tu *show* y te gritan, te abuchean; ¿te gusta que te humillen? —un camión de limpia pasó de largo. Al oír la palabra humillación, como en un DVD de la peor piratería, le pasaron las imágenes de las vejaciones, una tras otra, de sus compañeros policías, el encono por sus modales de clasemediera. Quizás la hubieran respetado de portarse como puta veracruzana y la llamaran negra. El disco se detuvo abrupto en una imagen al salir de la adolescencia, cuando su padre la sorprendió violando al hijo de la criada. Corrió a la mujer con todo y crío y a él lo metieron a la policía para que se le quitara lo puto. No resultó, le hacían lo que querían hasta que llegó el comandante Pérez, su ángel de la guarda, que esa noche andaba inquieto sin poder leer la *Odisea*: "No bien hubieron comido Nausícaa y sus esclavas despojáronse de sus velos y jugaron; y entre ellas Nausícaa, la de los brazos de nieve, comenzó a cantar". Su protector compraría el tugurio y le pondría un coro de esclavas para que noche a noche bailaran desnudas a su alrededor, y cuando ella se quitara el velo, de inmediato caería sobre las tablas la penumbra. Su ángel de la guarda... y le empezó a subir del estómago o a bajar del cerebro un salmo en el que le confesó a Próspero lo del hijo de la criada, los masajes en las partes de los torturados. Combó el sacerdote una sonrisa, ella detuvo en seco a las palabras.

—¿Qué hace por aquí a estas horas, padre? —cambió la charla como si empezara un rezo para no emitir un puchero; detrás de sus ojos caía una cascada de sal—. ¿Vino a darles de comer?

—A comérmelos.

—¿Es usted un pecador? —las lágrimas se le coagulaban al calor de la intemperie nocturnal del Anáhuac.

—Un goliardo, digámoslo: "Seguir a dioses y diosas/ será una buena sentencia,/ pues las redes amorosas/ ya cazan la adolescencia".

Un crujido agrietó la noche en el punto donde se extravía la rosa de los vientos urbana. Le siguió otro y otro más; en medio de los fornicaderos, a un lado, sobre colchones en reposo, bajo las cobijas del hospicio, campamento y dormitorio.

—Hija, esto es la plenitud de la libertad. Ninguna comuna hippie lo consiguió. Esto supera al *rap* más insolente. Ante esto palidece cualquier mosaico porno de Pompeya. Con ninguna acuarela parisina de falos y vulvas, del siglo XIX, se le puede comparar. Tu *table dance* es mojigato comparado con esto. Éstos son *swingers* de verdad. Y mira dónde, en uno de los culos, la ciudad tiene muchos, a unas cuadras de donde se pasean los liberales de Canadá y Finlandia, de todos los que quieren inventar la máquina de la felicidad y ¡hela aquí! Es el reino del cristianismo primitivo sin rituales de iniciación a la sexualidad —sacó de su hábito marrón una lata de flexo, inhaló; Nausícaa le vio enrojecer y se percató de que a fray Diego Tonatiuh nunca le había visto la cara siempre metida en la caperuza—. ¿Vienes a cenar, hija? Vivimos en el mismo edificio. Preparé algo. *Cous cous* con adobo de chile guajillo y chile morita, aromatizado con epazote y yerbasanta, *cuisine of fusion*.

Entre el aprisco de los niños que se recogían apareció el acólito con su braserillo esparciendo aromas sobre las emanaciones de mugre y tolueno. Por el barrio los habitantes dormían agazapados, los hoteles de paso abrían puertas con sigilo. Los antros de música ahogada se encerraban en la intimidad del sigilo proletario. San Fernando, ignorante de haber perdido una guerra, la única y en tierras mexicanas, sigue erguido en su fachada de cantera esculpida por indios, diseñada por indianos. Nausícaa quiso estrangularse con el cordón pétreo de san Francisco cuando fray Próspero le dijo que el monaguillo era el pastorcito de su grey de callejeros, el que le seleccionaba las ovejas cuyas almas irían al Chichihuacalco, Limbo, Tlalocan, a Sevilla o donde fuera.

El comandante Pérez terminó el parte sobre la muerte del caníbal bujarrón. Un crimen de odio, homofobia pura, perpetrado por asesinos que esa noche estaban en los separos. Ya se tenía a los culpables. Una patrulla lo llevó a su casa en un fraccionamiento garigoleado de mármol y aluminio, piscinas y club de golf. Su mujer dormía. Le dio un beso. Fue al dormitorio de los críos, los arropó en el sueño. Le dejaron, como siempre, los cuadernos para que les revisara las tareas. Se fue a su estudio forrado de caoba, con sus diplomas de la CIA, el Mossad y el FBI, enmarcados con estrellas ninja *dragon rage.* Repasó los trabajos, nunca les fallaba a sus chamacos. Tumbado en un sillón de orejeras se puso a mirar *La ley y el orden*, tenía toda la serie en DVD, y trató en vano a leer la *Odisea*, su único libro, que tenía en siete ediciones. No había leído otra cosa en su vida. Ahora se le volvía un reloj de arena indicándole que había llegó el tiempo de la desfloración de Nausícaa, la de los brazos de nieve, con su declaración de amor: "Más venturoso que todos, sea quien colmándote de presentes nupciales por esposa te lleve a su morada. Que nunca se ofreció a mis ojos un mortal semejante, ni hombre ni mujer, y me he quedado atónito al contemplarte". Se lo dirá esta misma madrugada; por la noche saldrían a Cancún, le compraría el *table dance* y se fundiría en orgasmos viéndola danzar ante la concurrencia azorada. ¡Oh, Nausícaa!, que ya habría vuelto del antro, y salió en su auto rumbo a San Fernando, solo, sin escolta.

"SOMOS COMO ÁNGELES, Dios nos hizo, mas no para casarnos ni reproducirnos. A diferencia de los otros, nosotros fuimos creados individualmente y con todo, así nos puso en manos de un cirujano para que modelara cada una de nuestras partes, ora quitando, ora poniendo. No somos ni querubines ni serafines que no tienen culos ni acasos. Ni nos casamos ni nos reproducimos. Somos a la vez impersonales y celestiales, pero aventurados en el sexo; estamos expulsados del paraíso, y como vivimos en la ciudad de México hacemos ronda con los espíritus de Huitzilopochtli, una cofradía de la que maldice san Fernando que nada puede hacer aunque su espíritu venga a nos desde Sevilla. Somos como los naguales de aquí, seres que tienen la propiedad de convertirse en otros seres, que Dios es fanático, hija."

Oráculo en un rincón oculto detrás del altar, al pie de la fotografía patibularia de un asaltante de bancos desaparecido en las crujías de la Policía Judicial. El cadáver descompuesto apareció irreconocible en las natas del canal del desagüe. Al exvoto lo iluminaba una lamparita roja de pilas. Estaba firmado por sor Temeraria de los Nuncas, apodada *la Conversa.*

Caminó por la nave hacia el coro, se santiguó bajo la cúpula con la Inmaculada Concepción rodeada de ángeles con violines, laúdes y cítaras. En la capilla expiatoria rezó el Xochicuícatl: "Comienza, cantor. Tañe tu tambor florido. Con él deleita a los príncipes, las águilas y los ocelotes. Sólo por un breve tiempo estamos prestados unos a otros". Por las tinieblas con manojos de luminarias fue al portón, descorrió el cerrojo; las grandes hojas quedaron entrecerradas. Se metió a su confesionario y esperó como tantas noches lo había hecho desde que viera por primera vez a Nausícaa en el vecindario. "Prestados unos a otros", se dijo el espectro de los *nuncas*, el inmune a las tinieblas dentro del perol que cocinaba sus rencores. "Qué tan breve es ese tiempo en el que estamos prestados el uno al otro", se preguntaba. Los asaltos bancarios fueron apenas instantes de emoción, previsiones para una eternidad amorosa que le arrebató el comandante Pérez luciéndose ante el amante afeminado en el separo nauseabundo de una comisaría grotesca. Fray Diego Tonatiuh sorbía encono del perol de sus odios; dejaba escurrir los restos en hilos de baba que espesaban más el caldo de sus miserias viscerales.

NAUSÍCAA ENTRÓ AL EDIFICIO de apartamentos amueblados colindante con San Fernando. Fachada que se arqueó soportando temblores. La luz era de luna mermada en la escalera de cuatro pisos, *nahui*-cuatro, enredadera de peldaños, puente de plata y obsidiana entre Sevilla y Tenochtitlán, el Paraíso y el Mictlán.

—Éste es el D. F., poli —el acólito del incensario se le apareció en un rellano. Abrazaba un bulto con jirones de la ropa puerca untada de pegamento que viste la grey que pastorea. Al fondo del pasillo estaba abierta la puerta de fray Próspero, un desierto de anónimos como los corredores de todo edificio de apartamentos amueblados. Olía a manteca de puerco, yerbasanta, cebolla, chiles, tomillo, pimienta. La muchacha entró a su cuarto desvanecida entre el olor y la mirada del monaguillo cuando la reconoció en aquel policía que fue. Lloró sentada en la cama de una pieza, mesa de fórmica panda, hornilla eléctrica, un banco, su maleta con ropa de tianguis, las bragas de teibolera. Hurgó sin encontrar su 9 milímetros. En la pared de bilis descascarada había una fotografía clavada con chinchetas; ella cuando era él, junto al comandante Pérez que la abrazaba. Estaban uniformados de negro. Ninguno sonreía. La puerta del baño abierta. Los mosaicos con sarro, la repisa y los cosméticos, el espejo ajado y el retrete, eran los únicos amigos. El foco desnudo escurría penumbra que aceitunaba su piel. El comandante le dijo que su estancia aquí sería temporal, mientras surtía efecto el tratamiento con hormonas para que nadie se percatara del cambio. Nunca se apareció. Le enviaba comida de restaurantes chinos. Ella acataba las órdenes de no salir hasta que un mensajero le llevó el sobre con la dirección del *table dance.* Bailaba de lunes a viernes; al terminar el *show* regresaba en taxi. Le bastaba con lo que le pagaban. No necesitaba los extras que sus compañeras se agenciaban llevándose clientes al hotel. Era virgen. Pasaba los fines de semana mirando al interior del baño buscando compañía. Mientras más se vertían sus ojos en agua el espacio absorbía las emociones y se llenaba del vacío que Nausícaa transpiraba... No se atrevía a jalarle al excusado para que no se vaciara la nada que se acumulaba en el asueto.

¡BANG! LA nave de San Fernando guardó el sonido como si fuera un tiro de un arcabuz y no de una Browning 9 milímetros. Tres siglos y medio de muros amortiguaron la detonación. En el campanario el monaguillo tañó a muerto. Cuando el comandante Pérez iba en busca de Nausícaa, encontró el portal de la iglesia entreabierto. Lo atrajo. Tiró de una hoja un resquicio para dejar pasar su corpulencia.

—Dios es fanático, hija —fue la voz gangosa que oyó a los primeros pasos en la penumbra; sacó la pistola, apuntó, el eco rebotó por las columnas del altar, se enredó, salió despedido hacia la bóveda, aleteó en el coro sin que el policía acertara adónde dirigir el cañón—. Dios es fanático, hija, así le dirá el Creador, quienquiera que sea, a tu querida, cuando la envíe al infierno —la voz sonó al drenaje del Aqueronte. La reconoció. Era la misma que fue a reclamar el cadáver del asaltabancos. Aquella vez venía de una mujer que se transformaba en hombre, falda de monja, saco negro y cuello de sacerdote. Un vello le empezaba a brotar en las mejillas de manzana. Le pareció un adolescente treintañero, tardíamente obsceno. Su olfato de abortera la llevó al Gran Canal. Unos niños la llevaron a una represa; entre la espuma estaba el cuerpo abotargado. No reclamó el cuerpo, que se pudriera. La monja o lo que fuera amenazó con denunciar ante el Vaticano el robo de una custodia de oro que involucraba al comandante Pérez. El policía le cambió la amenaza por papeles que lo acreditaban como un sacerdote de donde quisiera. El cadáver se desmenuzó durante los días, masilla de bizcocho descompuesto en las aguas negras. Sor Temeraria no fue a recoger la menudencia, orgullosa de que su indiferencia fuera un homenaje de amor.

—Tenemos un pacto, puta diabólica. Yo te metí de cura. Nausícaa te dio los papeles en persona.

—No lo olvido. Escogí el monasterio castellano de Cantalapiedra, que en realidad es de monjas clarisas, pero aquí eso les valió madre; falsificaste hasta mi pasaporte, y así fue como llegué vuelto un hombre hecho y derecho a San Fernando, gracias. Lo que olvidé es lo del pacto. De acuerdo, lo violé.

—Qué quieres, monja maldita. ¿Meterme a la cárcel porque maté al inútil de tu galán?

—Mi resentimiento es más negro que las tinieblas de esta iglesia.

—¿Dónde está Nausícaa?

—Tú solo te metiste aquí. La buscaste en el lugar equivocado. Está a la vuelta. Donde siempre.

—La puerta de la iglesia estaba entreabierta.

—O entrecerrada. Vete al Tártaro —el policía apuntó; en cada penumbra alumbrada por las velas se formaba un nicho ocupado por una sombra. Una le dijo: "No hay mayor dolor que recordar los tiempos felices en la desgracia", no lo dije yo, fue el Dante, ¡comandante!, y tu desgracia es no haber tenido tiempos felices y tu tragedia es darte cuenta en este instante apenas de que ya no los tendrás ni siquiera para recordar y este santiamén se volverá eternidad, y le sorrajó un balazo en la cabeza.

En la cocina del padre Próspero el acólito terminó de deshebrar la carne de niño de la calle. Amanecía. Picaba el cura cachetes, tripas y ojos para una botana surtida en escabeche que acompañara el *cous cous*. A esas criaturas magras el hambre les da mofletes de querubín amanzanado. El monaguillo salió a tirar los restos en una alcantarilla del erial. Nausícaa, vacía de llanto, sollozaba en su dormitorio buscando los mimos del baño. El cura tarareaba, escogía cebolla morada, cilantro, vinagre blanco, sal, jugo de limón abundante para quitar el olor a flexo; desvenó los chiles jalapeños, malabareó con índice y pulgar la pimienta negra, abanicose con las hierbas de olor, todo listo para marinar cuando llegó socarrón el monaguillo del braserillo. El sacristán encontró un muerto a la entrada del templo, había muchos policías de civil y de uniforme. No habrán desayunado, le respondió el de los tenis desflecados, para que el chamaco les preparara un almuerzo. Que antes le dijera a Nausícaa que bajara al confesionario de fray Diego Tonatiuh cubierta con un velo de María Magdalena.

La mañana se enderezó sobre el centro de la ciudad, los niños del páramo dormían a la espera de que el sol les despertara su agonía en la sepultura abierta. El portón de par en par, pasaje a las sombras de san Fernando con una cinta amarilla de la policía. Nausícaa lo levantó para entrar; dos uniformados miraron indiferentes el velo púrpura del *table dance*. Llevaba sobre los hombros la culpa de las santurronas. Se persignó tres veces. El cadáver del comandante Pérez estaba al principio de la nave lateral; las alas de la gabardina desparramadas le daban aspecto de ángel estropeado. Un corrillo de judiciales mustios estaba a un lado del púlpito con el san Miguel de la lanza robada.

En un confesionario del otro corredor se encendió una luz roja. *Stop!* Llegó el confesor. Llamó a Nausícaa elevando una manga del hábito, farero en medio de la borrasca guiando al resto de un naufragio que acercó gimiendo la marea.

—Los ángeles de la cúpula están felices —dijo la sombra señalando la luz que escurría; Nausícaa se derrumbó cuando el cura se quitó la capucha; a rastras la metió al confesionario, se sentó; ella se hincó, con las manos le subió el rostro, preguntó desde el velo del paladar—: ¿A qué vienes?

—Por mi confesión —tras la opacidad de sus pupilas fue subiendo el cuarto alicatado y pringoso de la comisaría, las risas del comandante Pérez ufanándose de manejar la picana eléctrica cual espadachín, Nausícca admirada por la destreza del jefe que la cogió de la cabeza para que lamiera las partes nobles del asaltabancos. Orgasmo mutuo de ambos policías, silencio de cofradía.

—No, Nausícaa, ya lo has confesado todo. La violación del hijo de la criada no vale ni una misa. Vienes a devolver el espíritu de un préstamo cuyo cuerpo ya no está, Ánimas Santas, lo enviaste al canal del desagüe, ese gran canal que hiende esta ciudad a cielo abierto como vena rota e infectada por la que corren los desechos que igualan a todas las desigualdades de los que viven aquí. No te pudiste llevar a mi amado, y ya quisieras que te lo hubiera prestado porque ¡cuánto te calentaste cuando tu padrote le fundió el culo con los huevos y la verga! Llora, puta barata, el único caso que conozco de una ramera violadora. Chilla, arpía.

Por la sacristía salió el padre Próspero, traje negro, guardacuello romano, zapatos de piel con flecos; el sacristán vestía una mesa en la capilla expiatoria, humo de incienso se desperdigaba al paso del monaguillo entre la nave de muchos bancos. Los policías rodearon al sacerdote. Resaltaba su rostro céreo circunstancial. Asunto de narcotráfico, alcanzó a decir un comandante; el órgano en las alturas tocó *"Pange, lingua, gloriosi corporis misterium, sanguiniste pretiosi"*; el resto de la conversación se hizo inaudible. El policía que hablaba había intervenido junto con el comandante Pérez en el caso de un sacristán que unos años antes fue asesinado por robarse una custodia de oro del siglo XVIII. Los sospechosos eran Próspero y Diego Tonatiuh. Los policías se quedaron con la reliquia. El monaguillo sirvió las viandas. Botana surtida de escabeche en totopos, tacos de *cous cous* con adobo de chile guajillo y morita aromatizado con epazote y yerbasanta. Un agente trajo coñac y Coca Cola. Los últimos humos de incienso se deslizaron al confesionario.

—"Sólo por un breve tiempo estamos prestados unos a otros", decían los antiguos de por aquí cuando esto era un lago y se miraban los volcanes. Mi penitencia será el dolor de recordar los tiempos felices en la desgracia; tú ni siquiera eso tendrás. Mi préstamo no se consumó pero en el asalto a los bancos tuve momentos de felicidad aunque fuera robando por amor. Tu préstamo tampoco se logró, pero tú siempre fuiste desgraciada. Lárgate por tu penitencia. Nunca encontrarás al niño que buscas. Ya no tienes a tu comandante, te van a desflorar a huevo en el *table dance*, no vas a tener otra forma de vivir más que la de andar de puta y ni así te va a alcanzar para tus hormonas. Cuando te empiece a salir la barba nadie te va a tirar ni un pedo.

* * *

El mimetismo es hermosura de grifo en la ciudad de México; el espacio y el tiempo son haz y envés de la misma máscara de vegetal y piedra, dalia y obsidiana. En los tiempos circulares lo que ayer fue un lago de agua hoy lo es de asfalto; el pasado es una duplicación eterna que ahoga al futuro. Los presagios de antes vuelven a regresar convertidos en otra forma con la misma sustancia. La ciudad es un nahual que se transforma de un muro de calaveras en edificio *domotique* inteligente; el templo de Huitzilopochtli en Catedral y las rosas de Castilla en tunas de nopal. El tiempo se mide simultáneamente con los calendarios azteca, juliano, gregoriano y el *Cesium Fountain Atomic Clock*; el corazón del Distrito Federal es de lodo con piedra verde y el dios de la lluvia sigue llorando sobre México.

CON TOLUENO MURIÓ INTOXICADO el padre Próspero; fray Diego Tonatiuh catequiza monjes en las montañas chinas de Songshan. El monaguillo del braserillo ha vuelto barbado por el oriente. Hace más de quinientos años le llevaron al emperador Moctezuma una garza con un espejo en la mollera. En el reflejo el tlatoani vio hombres blancos y barbados montados en ciervos llegados de donde sale el sol. El monaguillo volvió montado en una Harley; se ordenó franciscano en Cantalapiedra. Por el poniente del erial frente al atrio llegó una mujer barbada, andrajosa de mirada turbia, con una suciedad como la que echan los puercos muy flacos que no comen sino lodo y hierbas. Su piel es olivácea cetrina. Sentada en el piso, ignora a los chicos que inhalan con la mirada yerma, alza la vista hacia san Fernando, frunce los labios a cada exhalación, se libra de los sofocos que apenan su pecho abandonado por las hormonas. Sonríe con un filetillo de baba a los angelitos alados que le ofrecen al rey vencedor de los paganos en Úbeda, Jaén, Baeza, Córdoba, Sevilla, derrotado en espíritu por los espíritus de Nueva España. Ninguno de los ángeles en la fachada del templo es el niño que anhelaba encontrar. Tras el umbral, un monaguillo de hábito raído deja el braserillo, el incienso se anega en la nave, el chico sube a la torre, tañe la campana, dobla a muerto.

10

Ardilla sin un árbol

por *Rolo Diez*

CENTRO HISTÓRICO

Tenía yo pocos años y menos golpes en el alma cuando vi por primera vez al pájaro de las alas enormes, tan grandes que tapaban el sol y techaban de sombras una ciudad árabe, de esas con iglesias y torres de colores, redondas y puntiagudas como trompos. Lo vi en el libro de cuentos de Graciela. Vuelvo a verlo ahora, cuando en la ciudad no queda nadie, sólo ese bato y yo, y hace más frío que en el Reclusorio Sur y en el Nevado de Toluca.

Café negro, bolillo y un pan dulce, siempre desayuné lo mismo. Aunque a veces toca despertar con una chela, único y mejor remedio conocido para esas mañanas en que el sol parte los ojos y un hombre se arrepiente hasta de la penúltima copa. Pero ahora se me antojan mi café, mi bolillo y mi pan dulce. Quizá porque son las tres de la mañana y el último taco lo mordí en la tarde, tal vez por el pasón de hielo que traigo entre lomo y tripas, o porque somos dos en la calle desierta y ese número es pésimo a semejante hora, con los hechos que debo y sin apoyos ni testigos.

En estas calles, déjenme decirles, para caminar a deshoras conviene ser del rumbo. Aquí al que agandalla Dios lo ayuda, cada quien sabe sus transas y nadie espera ver al jefe de gobierno ocupándose de resolver los problemas del prójimo ni que gane el mejor en las peleas de la *Arena*. Los amigos no abundan. El respetable anda ocupado en regresar entero a casa y con algunos billetes calentándole el cuerpo. Sobreviven los duros, es ley de la colonia.

El bato se mueve como si estuviera solo, como si fueran las diez de la mañana y *Ardilla* no existiera; me ignora y eso debe significar que me controla. Mi mano derecha se abriga dentro de la chamarra, envuelve el mango de la sevillana y debo apretar con fuerza para sentirlo. La navaja se la quité a un gringo que salía perdido del Bar León, hasta las orejas de *bourbon* tepiteño y sin saber dónde quedaba su hotel. Un regalo. Perdió hasta los zapatos. Renuncié a mi parte de la feria y elegí la navaja. Una belleza útil, lo mejor que puede tenerse.

Se va el bato. De aquí a mi *house* son tres manzanas y la calle es mía. El aire en el pecho amenaza gripe. Buen momento para entrar en La Cotorra y pedir un tequila reposado con botana caliente. Pero está cerrada. Ni modo. Se hace tarde.

MIENTRAS OIGO LOS PASOS alejarse pienso en *la Única*. Graciela es la primera mujer, será la última, a quien he bajado a suplicarle. Como José Alfredo borracho de amor, como una enciclopedia de boleros. De mil modos le he mostrado más aprecio que por un cajón de Rólex de oro, más que por un carro nuevo y un año entero en Acapulco. ¿Acaso alguien me ha visto así con otra vieja? Nadie. Porque sólo a ella me cansé de rogarle. Además, nuestros nombres deben estar escritos en el libro del destino. Cómo explicar si no que fiesta y bronca sean siempre anunciadas por el pájaro del libro de Graciela. El de hace siglos, cuando *la Única* era flor de una promesa y a mí me crecían unas alas inmensas.

Vivíamos al fondo de una vecindad, en República de Guatemala, entre Rodríguez Puebla y Leona Vicario, la tía Clodomira y yo. Ella me recogió cuando por la desgracia de mi madre quedé solo. De cariño me llamaba *Ardilla*, y yo sabía que sus faldas eran corteza del primer y exclusivo árbol donde podía encontrar refugio. Clodomira salía a trabajar en una tienda de ropa y me dejaba jugando en el patio. "No te muevas de aquí, *Ardilla.*" "No, tía." "Espera mi regreso." "Sí, tía." Pronto aprendí a cruzar de un patio a otro, y de los patios pasé a la calle. Muerto de miedo empecé a caminar y di una vuelta a la manzana. Desde entonces no he parado. Andaría cerca de los cuatro años en ese tiempo y debe ser mi recuerdo más antiguo. Antes de eso no veo nada. Aunque a veces, en noches en que se me viene el mundo encima, he creído entrever una nube de bultos y de gritos cercándome y golpeando con ferocidad incomprensible. Espantos que no sé de dónde vienen ni por qué me persiguen, que me obligan a encender la luz y a fumar un cigarro tras otro hasta ver subir el sol por la ventana.

Pienso en *la Única* y sé que a esa muchacha, a quien conocí cuando era un gusano chillón y estorboso, y vi después crecer y convertirse en mariposa, yo la quise de verdad. Lo digo ahora porque no sé si volveré a decirlo. Recuerdo cuando me llevaron a conocer el circo, y el novio de mi tía, un chaparro llamado Reynaldo, de profesión *coyote* en el Monte de Piedad, me dijo que mirara con los ojos bien abiertos al trapecista, porque *a lo mejor* se caía y se mataba y ya no lo vería nunca, ni aunque llegara con los billetes en la mano y pagara cien veces la entrada. "Lo bueno se nos da una vez —decía Reynaldo—, y si no estamos buzos para aprovecharlo corremos el riesgo de quedarnos en pelotas y arrepentidos para siempre." No es que Reynaldo fuera un sabio, porque si fuera tan sabio no viviría en el reclusorio, pero para quienes comen de la caza y de la pesca su advertencia tenía sentido.

HACIENDO PLANES Y AGUANTANDO VARA, a los quince años cursaba mi secundaria en el asfalto, buscaba recursos para el aprendizaje y seguía de lejos los pasos de Graciela. Ya no éramos amigos. *La Única* despreciaba la banda de Guatemala, nuestros trucos para conseguir dinero, los granos que me atormentaban y hasta mi habilidad para descabezar ratas con la resortera.

En la banda no era bueno aceptar que uno estaba enamorado; más bien resultaba desastroso hacerlo, porque los bandoleros reservaban una risa cruel para quienes incurrían en actitudes blandengues, propias de viejas y maricas. Como en las cantinas de antes, la banda no toleraba uniformados ni mujeres. Un honorable "guatemalteco" se ocupaba de las dulces enemigas solamente a la hora de arrancarles los calzones y el corazón.

Mantener el secreto sentimental frente a la banda no resultaba complicado. Bastaba manejarlo con el estilo propio de los cazadores de Guatemala. "Esa chava me pertenece. Por las buenas o por las malas la voy a tumbar. Nadie se meta con ella porque la quiero para mí." Complicado es amar a quien te mira como si tuvieras ocho patas y caminaras por la pared. Sin embargo, no siempre fue así. Desde la niña que llegaba con su libro al quinto patio hasta la ninfa que dejó de hacerlo y la mujer que me negó el saludo, muchas lluvias cayeron. Tardes hubo en que me dio por recitarle rolas románticas y fotografías donde la vi bajar la guardia, por un momento convertirse en el retrato más buscado: agua mansa en los ojos y flores en la cara. Una mujer inquieta y halagada es una ventana abierta para quien sepa mirar por ella. Juro haberme sentido como Juan Diego recibiendo a la Virgen de Guadalupe. Pero todas las veces y siempre, cuando un sentimiento parecía nacer en las entrañas de *la Única*, como un pichón rompe las paredes del huevo para salir a ver la vida, algo pasaba y de nuevo

Graciela se fijaba en las marcas de mi piel, otra vez fruncía la nariz como si alguien estuviera podrido y todo se iba de cabeza a la chingada. Furioso y desesperado, únicamente se me ocurría agraviarla, disminuirla con barbaridades para quitarle la superioridad, cambiarle su rechazo hacia la calle del miedo. Después, ella tuvo quince años y yo dieciocho. Amor y desprecio eran iguales: cartón lleno.

EN LAS PLAZAS DE LORETO y La Soledad conocí aventureras que, *money* de por medio, no se desmayaban por marcas de viruela. Algunas se hicieron mis amigas. Comíamos panes dulces, bebíamos vino moscatel, a veces aguantábamos la noche para esperar la salida del sol. El momento es tan mágico en el centro de la ciudad que uno está dispuesto a ver alzarse de sus ruinas a los aztecas y puede creer las leyendas más fantásticas. "Cógetela bien cogida y será tuya para siempre. No te queda de otra. A las buenas o a la fuerza, pero si eres el primero tienes chance. ¿Qué puedes perder? Ya no le hagas al buey suspirante, a la mujer le gustan los machos decididos." No conocían a Graciela. Hablaban de otras mujeres; tal vez no se conocían ni ellas mismas.

Yo a seguirla y Graciela a rechazarme. Como perro que mendiga una caricia la buscaba. De mil maneras le rogué, robé un coche para invitarla a pasear; presioné, amenacé y al fin le hice un daño del que no me alcanzarán cien años para lamentarlo.

SI ALGO DEBE PASAR, PASA. La negra hora fue llegada cuando un helicóptero encima mío me recordó al pájaro, y en el vuelo del pájaro iban mis sueños jamás cumplidos, y golpearon nuestra puerta en el patio y era ella —fruta para el mordisco bajo el vestido floreado—, justo un viernes en que Clodomira avisó que llegaría tarde. Entonces, en ese fatal segundo, supe que para ninguno de los dos habría retorno. Porque... ¿acaso podía hacer algo distinto a lo que hice?... ¿Qué me quedaba, a ver, qué me quedaba?... ¿O lo que debe hacer *Ardilla* es llamar al hombre de la basura, darle unas monedas y decirle: "Métame en una bolsa y tíreme al quemadero"?

Lo de esa tarde fue pura desgracia. Primero, por lo insoportable de hacerle daño a la mujer amada... por ese alocamiento capaz de vaciarle a un bato la cabeza y en lugar de cerebro dejarle sólo tequila y furia y mariguana, sin que pueda pensar ni arrepentirse ni animarse a defraudar a las prostitutas que esperan verlo cumplir y que ya deje de actuar como un marica... por esa obsesión de encontrar desprecio en el rostro más querido... por la decisión desventurada de hacerle pagar su desamor... Sumen y verán que no hay remedio. Apenas cabe esperar que la magia de la primera vez transforme a la rechazante en amorosa, como ha pasado en historietas y películas que todos hemos visto y conocemos: primero viene una furiosa pataleta de la dama; después —nadie sabe de dónde— viene la pasión.

La pasión faltó a la cita, Graciela no cambió y ésa fue la primera desgracia. O a lo mejor, quién sabe... La segunda golpeó con palabras terribles: "Vas a pagar. Vas a morir por esto". Con ojos como piedras me lo dijo, metiéndose en los míos para hacerme saber que hablaba en serio.

La verdad sea dicha, nadie va por la vida cumpliendo sus promesas. Quien no lo crea puede preguntarle al presidente. Aunque Graciela es caso aparte. Si ella dice "Lloverá", más vale salir con paraguas. "Vas a morir por esto", dijo *la Única*, y es cierto que aún no me acostumbraba a las amenazas de muerte, pero lo malo y lo peor fue oírlas en su boca. Caí de rodillas; enfermo de arrepentimiento juré amor eterno, prometí vivir para cuidarla, mendigué. Fue como hablarle a un muro, igual de bueno que suplicarle a una estatua.

Desde entonces, sólo la busqué una vez. Lo hice porque aún me quedaba una esperanza y antes de abandonar la lucha necesitaba saber, definitivamente y de verdad, si las prostitutas tenían razón o no. Una sola vez la busqué. La vi venir y crucé por su camino. Graciela me miró y me quitó las dudas. Me quitó las dudas y las ganas de vivir.

Si no sufrí demasiado fue por falta de tiempo. Conseguir comida en esta ciudad se lleva un día entero. Cualquier negocio en puerta requiere observaciones y trabajos. Hasta para asaltar una gasolinera hay que olvidarse de Bonnie and Clyde y estudiarla bien primero. Es en los chequeos donde se conocen sus secretos. Puede haber dinero a determinada hora y a otra no; su arquitectura y cantidad de empleados nos dicen cuántos hombres hacen falta para dominarla; según distintos planes puede uno llegar como cliente o retirarse en el carro de un usuario; hay que conocer el patrullaje de la zona, encontrar el mejor camino para irse, prever vías de retirada alternativas... Diversos problemas a resolver y la cantidad de horas hombre necesarias. Así, con días y noches convertidos en trabajo, el dolor y el amor salen sobrando. Dicho en corto, romance y pesar tienen más chance en las películas; en la calle hay que partirse el lomo.

PRONTO ME HARTÉ DE GUATEMALA. Me fui lejos de Graciela y del lugar del crimen. Hui del centro, salí de la ciudad, anduve por el país, de costa a costa y de arriba para abajo. Y aunque al final parece que todo ha sido como darle un millón de vueltas a la manzana, al principio la novedad nos encandila. Paisajes nuevos y caras distintas ocultan que aquí o allá las leyes sirven a los mismos tipos, que las rejas de los calabozos se parecen y las balas de los polis son iguales.

Cuatro años anduve en la vuelta. De a ratos regresaba a la ciudad, visitaba clandestinamente a Clodomira, conocía la marcha del barrio. Así supe que Graciela era pretendida por un peso pesado de la colonia Morelos. Según el chisme, un bato vinculado al cártel del Golfo. Y como chisme y morbo van por la misma vereda —seguramente son parientes—, supe también que la calle se ocupaba de mí. Guatemala inventaba lo que no conocía. Algo había pasado entre Graciela y *Ardilla*, algo grave, misterioso y truculento —la falta de imaginación del personal es tan deprimente que todos opinaban lo mismo: "Ese cabrón de *Ardilla* la debe haber violado"—. La tercera información decía que, a efectos de hacer méritos frente a la dama, el peso pesado de la Morelos le puso precio a la cabeza de un servidor. No lo creí. En el barrio se habla porque el aire es gratis. El que tiene boca anda en el cotorreo y si le falta un buen asunto que contar se lo fabrica. Graciela es la mujer de mi vida y sería incapaz de aceptar una barbaridad como ésa. No me preocupé entonces y menos lo haría hoy, cuando los vientos han mejorado en la colonia. La noticia del mes es que al pesado de la Morelos lo metieron al bote y descansa en el penal de alta seguridad de La Palma. Allá él y allá los chismes inventados en Guatemala. No sé por qué me ocupo de alguien a quien ni siquiera conozco. Debe ser la soledad, que crece como la peste en las madrugadas.

"Lo tuyo es melancolía —arriesgó un buey que filosofa en La Cotorra—. Te duele todo y no sabes por qué. Mal de amor, asunto de pendejos." Le mostré la sevillana y el buey no habló más. Pero mareado y confuso, atacado de temblores, me acuerdo de él en esta noche.

AHORA, TRES Y MEDIA DE LA MAÑANA, a tres manzanas de mi *house* en la calle desierta, pienso en un café negro con su bolillo y su pan dulce. Mi tía va y viene de la mesa a la estufa. En el patio juega esa niña con un libro de cuentos. Me gusta leer para ella y le invento unas historias donde el pájaro de las alas grandísimas nos lleva a volar por el mundo. Graciela y yo a través de las nubes, mirando casas y campos desde arriba. Es un estorbo chillón pero se va a poner linda cuando crezca. El café dulce y caliente me hace bien por un instante, después vuelve el hielo que me atraviesa el pecho, el helicóptero encima mío, vuelven el cuarto de vecindad y la promesa, mi lista de acreedores y el bato ése que ya se fue. Apenas me levante del suelo y desaparezca el frío de mi espalda y se me vaya de la boca el gusto a sangre voy a ir a decirle a Graciela que estoy arrepentido y que siempre la quise de verdad, a lo macho, como debe ser, me cae.

11

DE GATOS Y HOMICIDAS

por *Víctor Luis González*

COLONIA DEL VALLE

Es difícil escribir acerca de gatos luego del Teodoro W. Adorno de Cortázar; de Kipling y su demostración de que el gato *walks by himself*; del gato negro de Poe; del de Hemingway, que da vuelta en una esquina; de los gatos de Lewis Carroll. Por lo tanto, ya que me propuse escribir sobre gatos para pasar las próximas horas de encierro, apenas tocaré algunos hechos en que estuvo involucrado mi propio gato: Wilson (ese nombre supuse de la inicial W antes de Adorno en el cuento de Julio Cortázar), era amarillo y grande. A pesar de haberlo castrado, su territorio era extenso y solía ausentarse durante días. Cuando regresaba, luego de comer y beber en abundancia dormía dieciocho horas de un tirón. Lo imaginaba contándome dónde había estado y a quién había visto, en tanto terminaba cuatro latas: Sinué, el gato egipcio de una familia vecina, había sido atropellado en la esquina de Patricio Sanz y Popocatépetl; lo partieron por la mitad en el intento de extender su territorio. Si recordaba al gato gris de la casa de enfrente, el de collar con pedrería; ése desapareció —probablemente por culpa de la pedrería— luego de olfatear una hembra y haber puesto rumbo hacia Félix Cuevas; había agarrado caminito por Amores. Mejor no me contaba cómo dicen que había quedado el minino pachón de la esquina; al que le daba por atravesarse Insurgentes e ir más allá del Manacar. Era bueno lo de la castración: ni *viejas* ni ambiciones territoriales.

También podría escribir acerca de la presencia de otro gato, el de mi vecino, extranjero como yo en el Distrito Federal de México, un norteamericano viejo y solo que, por el tiempo de mi estancia en un barrio presuntuoso nombrado colonia Del Valle, no sostenía relaciones con nadie del vecindario y aun había tenido alguna clase de problema con la mayoría de las personas alrededor. Eran principios de los años ochenta y él había llegado hacía casi veinte. Tuvo una mujer mexicana, quien se había ido de casa luego de más de década y media de malos tratos, y dos hijos altos y rubios, que por su apariencia pudieron hacerse actores de telenovela y sentirse invulnerables. Comencé a saber demasiado de mi vecino antes de mi regreso a los Estados Unidos. Las circunstancias en México habían hecho lo posible por destruirme en un lapso de más o menos tres años, y estaban a punto de conseguirlo del todo, cuando terminó mi responsabilidad con los negocios de mi familia original después de ponerlos en quiebra.

Luego de la muerte de papá y por la supuesta enfermedad terminal de mi madre, me vi obligado a dejar la vida académica en Dallas e ir a la ciudad de México. Entonces seguía casado con Alice, o ella conmigo. Quiso acompañarme porque deseaba conocer de cerca los bienes de mi familia. Según las condiciones para nuestro divorcio, ella obtendría la mitad de cuanto heredara. En realidad, no debimos casarnos. Sucedió, pues Alice siempre tuvo el convencimiento de que, si iba a casarse, lo haría con su mejor amigo. Con los años de matrimonio, sólo nuestra amistad prevalecía.

Tan pronto llegamos a la ciudad de México y a la colonia Del Valle, organizó la casa, preparó habitaciones para ambos, descubrió que la mayor parte de los vecinos querían conocerla (como suele suceder a los extranjeros en ese país) y comenzó a esforzarse con el español. Compró a Wilson en la veterinaria del supermercado de la calle de San Francisco. El gatito me pareció demasiado grande para ser recién nacido, y estoy seguro de haberlo visto sonreír luego de darle su primera mamila. Al año, se había convertido en una especie de eslabón evolutivo entre el tigre dientes de sable y el gato doméstico.

Desde el principio, Alice, pese a la calidez de su presencia, resultó un obstáculo para mis amistades femeninas. Le decía: no entiendo qué haces aquí, en México, conmigo en esta casa; si fueras borracha o drogadicta sería comprensible. Su respuesta siempre era la misma: se trataba de nuestra amistad y de su interés en enterarse de cuánto le correspondía de lo que llamaba "los bienes terrenales del hombre", bueno, en este caso, de la mujer. Que terminara de liquidar negocios y propiedades de mis padres en México y después cada quien para su *sancho*. "Santo", Alice, se dice santo. Ella también había oído que decían *sancho*. Sí, pero ésa es otra cosa.

De hecho, la única persona en nuestra calle, y en varias calles a la redonda, con quien el vecino gringo llegó a sostener una relación cordial fue Alice, fuera por gringa o por alguna otra razón. Aquello era como conocer a la única persona a quien no mordía el perro bravo del barrio, algo doblemente extraño por la animadversión del principio entre ambos: una mañana, por ejemplo, fastidiada por el volumen de la música de las Grandes Bandas en casa del vecino, marcó su número, y luego de identificarse y pedirle que detuviera "¡el maldito escándalo!", lo insultó en inglés durante varios minutos. Este discurso —por momentos incomprensible para mí gracias a pertenecer a una clase social superior a la de Alice— lo inició con la frase "con todo respeto", y lo concluyó con la vieja fórmula norteamericana de *have a nice day*. Tan pronto colgó dijo "anciano estúpido", ya sin énfasis y a punto de reír. Enseguida añadió: mejor cuídate, me advirtió que le rompería la cara a mi marido.

Otra mañana, a través de los ventanales de la sala descubrí a Alice hablando con alguien en el prado. El sol era fuerte y por la estatura de ella y los reflejos de su cabellera rubia tardé en identificar al gringo. Conversaban sin asomo de agresividad.

¿Qué tanto hablabas con el vecino?, le pregunté tan pronto entró en la casa. Es un viejo vulnerable, respondió.

En esos primeros tiempos en México, el proceso de liquidación de los negocios de mi familia sufría frecuentes estancamientos a causa de mi ignorancia: no me permitía una visión panorámica de los asuntos, y esta carencia terminaba por paranoizarme: socios, abogados, contadores, eran para mí una pandilla de conspiradores dispuestos a despojarme. Encima, mi madre, a quien dejé de considerar en artículo mortis tan pronto la vi jugar golf luego de apenas una semana de hospital a mi llegada al país, había terminado por cederme poderes suficientes para hacer cuanto quisiera, lo cual era la certificación de mis sospechas de que, más bien, se retiraba y que yo cargara con todo. En venganza, cancelé venta de acciones, reactivé inversiones, elevé salarios y prestaciones en plena entrada del neoliberalismo en México, con su nuevo presidente, Miguel de la Madrid; me lavé las manos de si había ganancias o no las había, y que las cosas explotaran cuando tuvieran que explotar. Alice sólo movió la cabeza. La había enterado del curso de los negocios familiares en un momento no muy adecuado.

La noche anterior, creyéndola aún de viaje, luego de una fiestecita de oficina llegué directamente a mi habitación con una de las secretarias del consorcio. A la mañana siguiente, en el desayunador, apareció Alice, vestida para jugar raqueta. Fue necesario presentarla, dije su nombre y ella complementó "su esposa". La secretaria estuvo a punto de escupir el café; enseguida dijo: "¡Qué gato más grande, y esos colmillazos!" Wilson dejó de acariciarse en los muslos de Alice y fue hacia su plato. La secretaria preguntó a "mi esposa" si el color de su cabello era natural. Ambas se pusieron a conversar como si hubiesen cursado moda y maquillaje en el mismo colegio. Al salir, la secretaria se fue diciendo: "¡Qué gatazo más grande y enorme!" Conté a Alice lo de la fiesta y los cambios de planes con los negocios de mi familia. Ella movió la cabeza. Añadí que el consorcio se favorecería mediante las privatizaciones con que Miguel de la Madrid estaba despojando a la nación de bienes, para entregárselos a la burguesía nacional y extranjera; que lo de sus ganancias por lo del divorcio se acrecentarían. Nada pareció conformarla. Si vas a seguir trayendo a tus *old women*... No son "viejas" en ese sentido, le aclaré. Si me gustaban las mujeres cafés... *Morenas*, Alice, se dice morenas, *brown*, pues. Si vas a seguir acostándote con ellas, al menos asegúrate de mi *falta de presencia en casa.*

DESLIZABA EL AUTOMÓVIL fuera de la cochera justo en el momento en que un hombre joven derribaba con un golpe al gringo. Salí del auto a toda prisa y empujé al hombre antes que comenzara a patear al viejo. Éste se incorporó y luego de escupir y limpiarse la sangre con la manga de la camisa, me dijo con un gruñido que no me metiera, era un asunto privado, y añadió: estúpido. *What?*

Un par de días más tarde encontré a Alice y al gringo bebiendo café y conversando amablemente en la sala de la casa. La besé y dijo en español: ¿te acuerdas de él?, es de la puerta siguiente. (*Se dice vecino*, le murmuré.) Lo recordaba, por supuesto. Por un segundo tuve contacto visual con el viejo. Fui a encerrarme en el estudio. Al rato, Alice apareció con un trago para mí, tomó asiento sobre el tapete, a un lado del sillón donde leía, y me abrazó las piernas. ¿Sabes?, dijo con su cara de extrañeza, ese *cabrón*, estoy segura, mató a un hombre o a muchos, y no me refiero a la guerra, ¿eh?; es como un asesino *cereal. Serial*, Alice; el cereal lo comes, ¿okey? Y después *se ha ido con el asesinato.* En español se dice: *se salió con la suya*, Alice. Desde luego, no le preguntaba por qué lo creía; intuición femenina. La otra mañana pudieron haberlo matado a él, dije y le conté. Ah, sí, respondió, muy enterada del asunto, así se lleva con sus hijos. Alfonso, el *handyman* de nuestra calle, le había contado sucesos peores, balaceras inclusive; nunca se habían matado, pero imagínate el susto. Por lo demás, Wilson le había fascinado. Le gustan los gatos. Ahora tiene una gatita, no sabe su raza, llena de manchas. Por eso le puso Manchas. ¡Qué imaginativo!, me pareció. Según él, tiene carita como de *whore*, de puta maquillada —Alice rió—, como las de Cats; con un collar antipulgas. Por cierto, cuando el gringo quiso acariciar a Wilson, el gato se mostró receloso y lo *tarantuló.* Se dice *arañó*, Alice.

LAS COSAS CAMBIARON o terminaron por irse al demonio un tiempo después de esa tarde. Ahora recuerdo ese entonces y me parece haber despertado y la nueva situación ya estaba allí, en espera de verme abrir los ojos.

Sentía un miedo atroz de subir a la barda en el jardín de la casa. Apoyaba sobre el muro una escalera corta que me obligaba a estirar el brazo para depositar en la cornisa de la cima comida y agua para Manchas.

Días atrás, despertaba de una de esas noches, cuando la conocí. A través de la pared de cristal de la recámara observé movimiento de ramas, de enredaderas sobre la barda del jardín; sería Wilson dejando atrás una noche de correrías. Pero salió de la maleza un gato pequeño, manchado, con carita de puta, collar antipulgas; dio unos pasos sobre la cornisa. De pronto apareció Wilson tras él. Asustado por el tamaño del "dientes de sable", se puso boca arriba. Wilson lo miró y sonrió.

Esa misma mañana, Alfonso, el conserje de nuestra calle, llamó a mi puerta para preguntar, de parte del gringo, si había visto una gatita manchada, en celo. Imposible saber lo último (esa madrugada lo supe: el asunto se reducía a un "concierto" nocturno de maullidos y "gritos"), pero la idea de más de una gatita manchada, libre por el vecindario, era inconcebible: debía de ser la suya. ¿Cuál era el plan? Alfonso se levantó de hombros. ¡Imagínate!, le digo, capturar a una hembra animal en esas circunstancias. Si fuera humana, habría más posibilidades.

¿Hacía cuántas semanas Manchas desertó de casa para depender del agua y las croquetas en la cima de la barda? Desde el regreso definitivo de Alice a su vida en Texas, el tiempo había perdido puntos de referencia, y las brújulas de los calendarios y relojes no me llevaban a ninguna parte. Sólo podía calcular en meses cuando tuve a bien llegar acompañado a casa, y Alice estaba allí luego de la cancelación de su vuelo. Esta vez no se trataba de una mujer *café*, sino de una europea tan rubia y alta como ella. Se miraron mientras las presentaba, y consideré buena señal de parte de Alice la falta de aclaraciones sobre nuestro parentesco. Era una decisión tomada llevar a la europea a mi recámara. ¿Nos disculpas? Y ya en las escaleras escuché lo de la cancelación; buscaría otro vuelo mañana.

Alice se fue y no regresó. Por teléfono, en español e ironía mexicana, me recomendó hacer cuanto quisiera; después de todo era mi vida y a ella, deveras, ya no le interesaba mi persona ni los bienes terrenales por lo del divorcio.

Puse la escalera contra el muro, aún tomé un trago más, con tal de darme valor. Comencé a escalar con un tazón lleno de croquetas; me estiré para depositarlo en la cima, y, al momento de levantar la barbilla para mirar, me ganó el peso de la nuca. Caí, arañando el aire, y di de espalda contra el césped. Más valía no moverse por un rato. Hice respiraciones. Wilson subió a mi pecho, para ovillarse y quedarse dormido pese al comienzo de la lluvia; quién sabe cuántos kilos pesaba de más en comparación con la semana anterior.

El dictamen de un tribunal me obligó a mirar dentro de la "canasta", y cerciorarme de que los otros dueños del consorcio se habían comido mi mandado. Mi madre, apoltronada en la comodidad de su pensión y los bienes que, algún día, iban a ser de mi propiedad, dijo, en tono de advertencia retroactiva: era cosa de vender a tiempo, hijo; según ella, yo tenía la tendencia de mi padre a pasarse de listo, como suelen hacer los gringos en América Latina. Al siguiente momento, hizo otra advertencia, con tono determinante: ¡Y no vendas la casa!, aunque fuera mía y tuviera poderes; podría reclamar esa herencia cuando ella muriera.

La verdad, ya la había vendido. Veinte días antes de entregarla busqué taxi para llevar conmigo a Wilson de regreso a Dallas (el más adecuado en la veterinaria fue uno para rottweiller), obsequié objetos y mobiliario e hice el equipaje.

La tarde de un maldito domingo comenzó a hacer frío y seguramente llovería durante la noche. Quise otro trago y no hallé gota en la botella. Encima, ni siquiera el gato estaba en casa. Lo escuché caer sobre el techo de lámina del cobertizo del calentador, y cuando salí al jardín ya bajaba del tronco de la palmera, su segunda parada antes de tocar tierra. Lo tomé por un colmillo y lo obligué a subir hasta mi habitación, lo solté y cerré la puerta. Le digo: ¡deja de intentar meterte debajo de la cama, ya sabes que no cabes! Entonces saltó a las cobijas, se ovilló y se hizo el dormido. ¡Estaba bien! ¡Ni modo de desquitarme con el gatito! Busqué su cepillo y lo abracé para cepillarle la cabeza. Recordé que la frecuencia sónica de los ronroneos es capaz de destruir aun las células cancerosas.

Otra noche, aún peor, durante el lapso de un nuevo mal cálculo con respecto a las botellas, los maullidos *a gritos* de Manchas ya no eran del tono del celo. Ahora tendría hambre y frío. Luego de la caída no me animaba a subirle comida. En la última semana había vivido a su suerte. A lo sumo, le dejaba croquetas en el techo del cobertizo, pero no le era fácil descender hasta allí. Wilson terminaba por dar cuenta de las raciones.

Esa noche, sin embargo, Manchas brincó desde la barda al techo del cobertizo. La escuché caer sobre las láminas después que a Wilson: fue un sonido apagado, débil, luego del golpazo por el peso del gato. Wilson se fue a la cama mientras yo comprobaba que era más fácil subir mediante la escalera corta al techo del cobertizo. Allí estaba Manchas, comiendo restos de croquetas. Me vio y comenzó a coquetearme. Decía *miau* y *prrr* y embarraba el cuerpo en la lámina. Bajé por una rebanada de jamón y, en primer lugar, le lancé un trocito. Se lo comió y lancé uno más. Puse sobre la lámina trocitos cada vez más cercanos a mí. La informaba del clima, le decía: hace frío y lloverá dentro de un rato, sería mejor irse a casa o dejarse atrapar. La escalera tambaleó; apenas pude controlarla, en tanto Manchas comía el trozo de jamón más cercano a mí. La atrapé por el collar antipulgas y luego por el pellejo, y no supe cómo hice para no venirme abajo con la gata. Pataleos, arañazos, maullidos; miradas de *nunca volveré a confiar en un ser humano.* Quise tomar el teléfono y el directorio de vecinos al mismo tiempo, sin dejar de cargarla. Terminé por utilizar el taxi para rottweiller de Wilson. Por allí debí comenzar.

UNA COLECCIÓN de armas en la pared. Un rifle de mira telescópica, enorme. Ningún trofeo de caza. El gringo parecía orgulloso de la cantinita de caoba, llena de botellas. Preparó cocteles para ambos. En lugar de brindar, dijo *boozing time.* La "hora de beber", pensé y, como él, de un trago casi acabo el coctel. Preguntó por Alice. ¿Ella? Bien. Ahora, yo regresaría a los Estados Unidos. Señalé el taxi en que había llevado su gatita; es para cargar con mi Wilson. El gringo terminó otro trago. Hice igual. Nunca había visto un gato más gigantesco, dijo. Estuve de acuerdo, si fuese un poco más grande, estaría en algún museo como la parte viva de un diorama sobre el paleolítico. No se movió ni un músculo en su rostro. Su mirada era intimidante. A momentos deseaba irme, pero una copa nueva, o no atreverme a simplemente pedir una disculpa, tomar el taxi de Wilson y salir, me sujetaban al asiento. Tenía la impresión de que el viejo estaba tomando mi visita como pretexto para iniciar una especie de fiesta. Desde mi llegada para entregarle a Manchas, noté en él un entusiasmo que, al principio, creí alegría por el rescate de su mascota. La oferta de un trago me pareció natural en las circunstancias, y una fortuna dada mi carencia de alcohol en casa.

El gringo salió de su puesto en la cantinita y se dirigió a una tornamesa. Puso un disco de las bandas norteamericanas. ¿Te gusta Miller?, dijo sin sonrisa y dio algunos pasos de baile, también sin sonreír. Sí, claro, me gustaba. No le importó subir el volumen y concentrarse, inclinado sobre los botones del aparato, en ecualizar el sonido. Entonces miré con mayor atención la pared con la colección de armas. Uno podía esperar la aparición repentina de la cabeza disecada de un ciervo o un búfalo. En su lugar, noté fotografías; la luz de la cantinita casera apenas las alcanzaba.

Recuerdo con frecuencia cuanto sucedió durante tres años en México, y esa noche. La reclusión en una cárcel texana despierta obsesiones imposibles de concretarse en lugares distintos, incluyendo otras cárceles, supongo. Aquí, la simple presencia de una *death road* y sus *dead men walking* hacen un ambiente distinto. La cercanía del pabellón de la muerte con sus condenados me provoca sentir que el pasado y algunos de sus detalles se convierten en la vida presente, la que termina tan pronto se llega aquí.

De cerca, aquéllas eran fotografías del gringo cuando joven: militar en la Segunda Guerra; de civil, al lado de compañeros armados; recibiendo un trofeo, abajo la leyenda PREMIO AL TIRADOR PERFECTO; al fin, junto a un animal recién cazado. Y también fotos de John F. Kennedy: con Marilyn Monroe, con Sinatra, con el hermano; de cuando era militar. Incluso una en que parece un cadáver, delgado en extremo. Y una más, la fotografía de Kennedy junto a la esposa en un auto descubierto; abajo se leía, trabajosamente, en la luz débil: Dallas, Texas, y la fecha, noviembre... 1963. El gringo apareció a mi espalda y preguntó si no molestaba repetir *Patrulla americana*. No, le respondí. Regresé a mi asiento. Al instante siguiente me hallé hablando de manera incontrolada, por el alcohol y el mutismo de mi anfitrión; me provocaba ansiedad contemplarlo y no decir nada. Él era de la clase de personas que aprenden a ocultar su vacuidad en el silencio. Hablé sobre Kennedy, aludiendo a las fotos en la pared; comenté que ni siquiera la comisión del gobierno para investigar su muerte había podido probar, de manera creíble, que únicamente hubo un tirador. Hablé sobre Alice, de lo amigos que siempre fuimos aún luego de habernos casado; sobre Wilson y su capacidad de sonreír. Lancé hipótesis al respecto: ésa sería la próxima habilidad de los gatos en la sociedad humana; la sonrisa, una prolongación del ronroneo, digamos. Un avance evolutivo para ser aún más queridos y protegidos por los seres humanos. Un recurso, una estrategia nueva para ser aceptados y, por lo tanto, para sobrevivir. El gringo me miraba, se levantaba de hombros. Cuando le hablé de Kennedy supuse que al menos explicaría lo de las fotos, pero apenas parpadeó. Mencionar a Alice le causó interés al principio; lo perdió tan pronto fue evidente que no daría detalles íntimos. Recuerdo sólo una frase completa de su parte: "¿Así que ustedes son texanos? De Dallas, ¿no?" Creí que añadiría algo, prefirió beber.

REGRESÉ A DALLAS; Alice y yo nos divorciamos y volvimos a ser amigos. De nuevo, las clases y la rutina, hasta que Wilson desapareció un par de días y luego alguien dejó su cadáver empapado en el porche. Me informaron que lo había ahogado uno de los vecinos: con ese delicado placer, tan norteamericano, de abusar de los más débiles, lo metió a su alberca y se divirtió con él no dejándolo subir a la superficie o permitiéndoselo a medias. Me preguntaba si en algún momento Wilson había tratado de sonreírle.

Una mañana crucé los prados y alcancé la alberca de mi vecino texano; lo hallé nadando con su familia. Le disparé sin permitirle salir del agua.

LAS VISITAS DE ALICE a la prisión suelen significar noticias. Un terremoto *espantífero* había destruido la ciudad de México. El primer presidente neoliberal, Miguel de la Madrid, continuaba con el inicio de una época, quién podía saber qué tan prolongada, de otras desgracias para los mexicanos. Mi madre seguía jugando golf. Al gringo lo mató a patadas uno de los hijos, a quien defendió judicialmente la televisora para la cual trabajaba y había quedado libre. No se sabía nada de Manchas. El asesino de Wilson se recuperó de mis disparos, estuvo bien un tiempo, y tuvo un infarto: murió ahogándose por falta de oxígeno en la sangre. Yo me alegré, me alegré mucho.

12

Reno

por *Julia Rodríguez*

BUENOS AIRES

Un maldito sábado me quedé de ver con mi carnal de la infancia, *el Floren*, así lo apodamos por ser nativo de Florencia, municipio de Tejeringo el Chico —no, no se crean, sólo me los estaba *chamaquiando*—; con mi compadre, Chente, al que no veía desde que le bauticé el chiquito, no, no es cierto; con mi primo Teobaldo, alias *el Clon*; su cuñado de él, mejor conocido como *el Pirañas*, y otro a quien no conocía, mayor que todos nosotros y tan grandote y trompudo que da miedo, apodado *San Beni*, y ya en confianza *San*. Nuestros rumbos personales, o sea donde vivimos a ratos, son la Buenos Aires, la Obrera, la Tránsito y un poco de la zona apache del centro.

Y es que te hartas tanto de pensarle cómo sacar el chivo, que entonces pones cara seria y la pides de lo que sea, de barredor, peón de maestro albañil, electricista *expontáneo*, de *torero* vendiendo alfileres, de velador, polecía bancario, no, eso no, porque has de llevar la famosa *solecitú* en la que andas poniendo todos tus nombres con sus adjetivos, si tienes o no antecedentes penales, si tuviste la varicela, desde cuándo no chambeas y por qué, qué dijo el último patrón, si *trais* carta de recomendación y en qué te la has rifado en los últimos cinco años, no, pos así no, porque si así fuera, qué *necesidá* tan necia sería andar haciendo cola pa' la pinche chamba que ni quieren darte pues.

Porque vivir en la ciudad de México, la Capirucha, el Defe, como prefieran, vivir, digo, allí, pero fuera de las colonias bonitas: la Del Valle, la Florida, San José Insurgentes, San Ángel, Polanco, Las Lomas y *ahoy* la Santa Fe, ésa que se quiere agandallar el trinchón de Telmex, con *tody* terrenos donde hace añales viven pobres muertos *dihambre*, pa' convertirla en el *Béberlijils* del Defe, *me cai*, es como hacer tu *pidnic* en el Periférico o de *perdis* meterte en sentido contrario en Calzada de Tlalpan.

Quedamos de vernos en La Poblana, una cervecería y salón familiar en la Doctores. Contentos de volvernos a juntar y ya bien *inflados*, nos juramentamos a la mosquetero y decidimos quitarnos de muertos *dihambre*, ora sí que *parirnos* por la libre.

Está duro no ser *enquilino* de las colonias *nais*, a excepción de Tepito, que le falta un cachitito pa' ser un estado de gandules dentro de otro estado de lo *mesmo*. Ser de los marginales es igual a cero chamba. Es en veces agua, en veces alimento; es colgarse de los postes de luz pa' *tansiquiera* poder ver la tele o mínimo saber qué cuerpos pisaste por las noches antes de tumbarte moribundo de sueño. Es caerle en la calle de borracho o *pasado* o de *gane* poder cagarte allí merito si te orillan las tripas. Es frío y harto calor, inundaciones, deslaves, hundimientos de tierra, según la estación del año y lugar; es la eterna ausencia de la *autoridá*, como no sea pa; pirañearnos. Es, *me cai*, la pura chinga.

Pasado el tiempo y ya organizados, dos del grupo empezamos a rifárnosla con la clientela en el metro Allende, la estación Chabacano, la Portales o Pino Suárez. Conforme íbamos conociendo el terreno, nos poníamos a *manopla* con los *tira-*

buzones y todos en paz y *beatitú*. Como a mi compadre Chente no le gustan las aglomeraciones, porque empieza *sudysude*, siente sofoco, se le cierra la garganta y ve nublado, no asistía al intercambio de bienes, pero no hay *fijón*, todos nos alivianábamos y cualquiera de nosotros lo suplía. Él, junto con *el Pirañas*, prefieren los negocios a la salida de los cajeros automáticos, en las colonias "bonitas". Ahí se come bien, dice *el Pirañas*: poca gente, muy civilizada y no hay por qué alterarse, los clientes siempre cooperan, o sea, aguantan los mordiscos. Mi primo Teobaldo es el as de la clonación de *buti* clase de tarjetas y nos ha reportado buenos *devidendos. El Floren* se dedica a partes de autos y a la duplicación de lo que pida el comprador y saca regalías pa' *todorcio*, siempre alcanzó pa' los seis. Yo servía de asistente estrella de cualquiera de ellos según se iba cargando el trabajo, eso sí, a toda hora con *San Beni* cual guardaespaldas de cada equipo durante los operativos.

Yo, la mera neta, en un tiempo pasado, muy pasado, le entré a *todano* pa' sacar el *bisté*. Uno comoquiera tiene sus compromisos: que si con la mamacita, con los hermanos, las viejas, y si te acomodas con alguna, *pos* la de pleitos por las deudas con los suegros, los cuñados y el montón de problemas y un chingo más con los mocosos que trajo la fulana a la convivencia. Son, mínimo, las canastas básicas o con suerte los vales. Son los pañales, las mamilas, las vacunas, las escuelas, si alcanzan lugar los chamacos. Son los libros, los cuadernos, los lápices. Son los pasajes, los trapos, la diversión, la fiesta de quince, el casorio, los difuntos y ya me cansé. Creo que por eso pasó lo que pasó.

Pero comoquiera que sea, nuestra pequeña empresa iba funcionando sobre rieles aceitados y nuestro modo de ver el mundo empezó a cambiar. Yo me reía por cualquier cosa, *San Beni* comenzó a jugar con el nieto que, *endenantes*, harto se le antojaba lanzar por el balcón (¿cuál?). Floren se consiguió la vieja más chipocluda de allá de su barrio; levántó tanta envidia del personal de la Buenos Aires que hasta tuvo que arreglarse un *vocho* pa' su uso privado con tal de que no siguieran escupiéndole obscenidades al paso de su *bizcocho*. *El San* pudo al fin pagarse su gimnasio con el *odjetivo* de mantenerse en forma, y a Chente, mi compadre, lo aceptó de vuelta su mujer. Qué más se puede pedir.

Pero, ya se sabe, nunca falta la mosca en la sopa o el prietito en el arroz, y *San Beni* se encabronó con un rufián de por su cantón, que comenzó a pasar el chisme de que era puto y por eso lo del cuidado de los bíceps y los tríceps. Nunca me imaginé que *San Beni*, con su trompa y su tamañote, saliera tan vengativo. Con nosotros era un alma de Dios, jamás levantó la voz, nunca malas palabras. Nos decía "muchachos, qué *necesidá* tienen de hablar cuales carretoneros y escupir como tamemes", muy decente él, sumamente amable, hasta se lavaba las manotas cuando iba al mingitorio. Eso sí, mal bebedor, pero bien habilidoso con las manos; seguido se me figuró bordadora de lujo por lo bien y bonito que te armaba o desarmaba lo que se ofreciera con sus dedos gordos, que se me figuraban de filigrana. Cuando se le pasaban los tragos le daba por platicar de su *juventú* de niño bien. Vayan ustedes a saber qué cosas podridas lo perseguían desde su pasado de *yunior* venido a uno menos uno. El caso es que se quiso desquitar del fulano por medio de su *torta*, dizque con el *odjeto* de parar los chismes.

Una maldita noche nos llamó de testigos a un taller mecánico abandonado en uno de los barrios que les digo. Era casi madrugada. Había logrado *grillarse* a la piruja, muy chaparrita ella, pero bonita de su cara, y *ai* tienen que la sacó de un bar. Le dijo: "traigo un mensaje de vida o muerte pa' tu *camote*", no, *pos* así quién no. Total, ya en el lugar, el asunto se calentó tantísimo que al rato nos fue tocando turno, pero después…

No quiero acordarme de lo que pasó después, pues lo que sea de cada quien, al final, *San Beni* mostró ser más cabrón que bonito y no hubo más remedio que ponernos a resolver el dilema de cómo deshacernos del mugrero. Y ahí nos tienen, alterados y medio dormidos buscando lo necesario *parese* fin.

De no haber sido por el güey de mi primo *el Clon* —el muy tarado se puso a hacer arreglos con la chisme caliente de su cuñada, que vende tamales a la salida del metro Coyoacán—, no estaría aquí, en Reno, que ni a Cereso llega, y con el miedo horrible de quedarme dormido en contacto directo con el cuerpo de mis *compas* de suerte y su olor. Es un hedor que, les juro por mi mamacita, no falla en llevarme a la misma pesadilla con mis *cuais*, haciéndome tragar a fuerza tamales chiapanecos con uñitas pintadas.

Los autores

Eugenio Aguirre (D. F., 1944) tiene publicados cerca de 40 libros; entre los más conocidos se encuentra *Gonzalo Guerrero.* Sus últimas novelas históricas, *Guerrero*, *La cruz maya* e *Isabel Moctezuma*, han llegado a la lista mexicana de *best sellers.*

Óscar de la Borbolla (D. F., 1952) es muy popular autor de una docena de libros de cuentos sin género, doctor en filosofía y profesor universitario de metafísica.

Rolo Diez (Junín, 1940) ha sido dos veces ganador del premio internacional Hammett, premio nacional de literatura y premio Gran Angular de novela para adolescentes; entre sus obras destacan: *Los compañeros*, *Vladimir Ilich contra los uniformados*, *Gambito de dama* y *La carabina de Zapata.*

Bernardo Fernández, *Bef* (D. F., 1972) obtuvo el premio Memorial Silverio Cañada en España por su primera novela policiaca *Tiempo de alacranes.* Además es diseñador gráfico y autor de obras de ciencia ficción como *Gel azul.*

Víctor Luis González (D. F., 1953) es narrador y periodista. Obtuvo el premio nacional Juan Rulfo para primera novela 1988 por *El mejor lugar del infierno.*

F. G. Haghenbeck (D. F., 1965) obtuvo el premio Vuelta de Tuerca a la mejor primera novela policiaca con *Trago amargo*, y es guionista de cómics norteamericanos tan populares como *Crimson.*

Juan Hernández Luna (D. F., 1962-2010) ha sido dos veces ganador del premio Hammett a la mejor novela publicada en países hispanoparlantes. Es autor de media docena de novelas policiacas (*Quizá otros labios*, *Cadáver de ciudad*, *Tabaco para el puma*) y varios libros sin género.

Miryam Laurini (Santa Fe, 1947) fue la primera mujer en escribir *noir* en México. Es autora de *Morena en rojo*, *Qué raro que me llame Guadalupe* y *Para subir al cielo.*

Eduardo Monteverde (D. F., 1948) obtuvo el premio internacional Rodolfo Walsh al mejor libro en español de no ficción por *Lo peor del horror*, y es autor de dos novelas negras de corte muy experimental: *Las neblinas de Almagro* y *El naufragio del cancerbero.*

Eduardo Antonio Parra (León, Guanajuato, 1965) fue ganador del premio internacional Juan Rulfo en París en 2000. Entre otras de sus obras están *Los límites de la noche* y *Tierra de nadie.*

Julia Rodríguez (D. F., 1946) es autora de una de las primeras novelas policiacas negras mexicanas: *¿Quién desapareció al comandante Hall?*

Paco Ignacio Taibo II (Gijón, 1949) es fundador del género neopoliciaco en México, autor de una quincena de novelas policiacas publicadas en 28 países y tres veces ganador del premio Hammett. Entre sus obras se cuentan: *Cuatro manos*, *Retornamos como sombras*, *La bicicleta de Leonardo* y la serie de Héctor Belascoarán Shayne.

México negro y querido,
se terminó de imprimir en julio de 2011
en los talleres de Litográfica Ingramex, S.A. de C.V.
Centeno 162-1, Col. Granjas Esmeralda,
C.P. 09810 México, D.F.